OHSAMA BUNKO

隠されていた不都合な世界史

堀江宏樹

JN109320

三笠書房

はじめに――

「勝者の歴史」の裏側を読む本

「歴史は繰り返す」という言葉が、今さら身にしみるようです。東ヨーロッパの大地で、そして中東において、世界史の新たな1ページが始まろうとしています。**世界の歴史は、勝者の歴史**です。争いの勝者が、世界史を書き換えてきました。

勝者が、その過去を正当化できる一方、敗北者の未来は悲惨で、すべてを勝者の理屈で塗りつぶされてしまうのです。しかし、勝者がどこまでも正しく、その本質が常に「善」であった例《ためし》はありません。

18世紀末、かつてない紅茶ブームに沸いていたイギリスは、名茶の生産地と見込んだ清《しん》朝時代の中国の扉を叩きますが、茶葉と引き換えに大量の銀貨を失うことになりました。あるときから、それをもったいなく感じたイギリスは、中国にインド産のアヘンを持ち込み、茶葉と交換することに成功しています。しかし、それは多くの中国人をアヘン中毒の地獄に落とした結果でした。

イギリスと中国は、後に**「アヘン戦争」**と呼ばれる武力衝突に突入しますが、大きな儲け話の前に人道や正義を語っても虚《むな》しいだけでした。イギリス人はこの道理なき、恥ずべき戦争を止められず、金のニオイに反応したアメリカ人までが「自分たちはイギリス人だ」と偽ってアヘン貿易に参入、戦争に負けた中国は彼らから徹底的に搾《しぼ》り取られ、破滅への道を歩むことになります。

誰かが大きな幸福を得るために、別の誰かが不幸のどん底に突き落とされてしまう。それがこの世の仕組みのようですね。

権力、財産、プライド、生存、愛——人間を突き動かしてきた欲望はいつの時代でもシンプルで、その分、争いに勝ち負けがはっきりしやすいのです。

奴隷解放者として知られる19世紀半ばのアメリカ大統領、**エイブラハム・リンカーン**。しかし南北戦争のさなか、解放された黒人奴隷たちにリンカーンが兵士の仕事を押しつけ、新たな奴隷奉公をさせようとしていた事実は語られることもありません。

また、20世紀はじめに「ラスト・エンペラー」こと溥儀《ふぎ》の退位にしたがい、清朝が滅亡。その後、半世紀近くにわたって混乱が続いた中国を平定した**毛沢東**《もうたくとう》も、その過程で5000万人以上もの犠牲者を出しています。

毛沢東が失脚しなかった理由は、彼が成り上がる過程で、敵対者をすべて粛清《しゆくせい》することに成功していたから。実際は「史上最大の殺人者」であるにもかかわらず、いまだに「偉大なる指導者」として天安門広場には彼の肖像が飾られています。

どこまでも清廉潔白で、一点のくもりもない人生を送れる者などいません。しかし、物事には「限度」というものがあるでしょう。

権力者、つまり勝者は不都合な真実を隠匿《いんとく》し続けました。彼らが隠そうとした事実こそが、「真実の歴史」なのではないでしょうか。そして、世界史を彩ってきた名声ある人物、誰もが知る事件の背後に隠された「真実」を知ることは、未来へと続く歴史を読み解く助けにもなるでしょう。

堀江宏樹

もくじ

1章 王室の隠しておきたい「恥部」

……「権威」と「栄華」の陰にある不都合な話

2章　歴史に名を残す英雄たちの「知られざる素顔」
……その「狂気と衝動」はどこからくるのか

3章 あの事件、戦いの「真相」を暴く
……理想、理念の陰にあるどす黒い欲望

4章 スキャンダルには思いもかけない「裏」がある

……人間の「本性」はかくも哀しいもの

5章 「知っているつもり」に隠された謎
……「封印されていた真実」が浮かび上がってくる

6章 戦慄！「人間の本性」が露《あらわ》になる瞬間

……冷酷、非情、無惨――背筋も凍る歴史秘話

イラストレーション◎後藤範行
地図作成◎有限会社美創（伊藤知広）
写真提供（数字は該当ページ）◎アフロ：P.17、192、253（Heritage Image）、P.25〈上〉、P.30（Bridgeman Images）、
P.25〈下〉（New Picture Library）、P.39、195、224（Erich Lessing/K&K Archive）、P.52（Mary Evans Picture Library）、
P.55（brandstaetter）、P.62（AWL Images）、P.77、105（akg-images）、P.121（Science Source）、P.145、163（Alamy）、
P.172（A. Abbas/Magnum Photos）、P.217（Science Photo Library）／フォトライブラリー：P.67、87、94、101、110、229
図版作成協力◎NOIZZ：P.129、131

1章

王室の隠しておきたい「恥部」

……「権威」と「栄華」の陰にある不都合な話

「女帝」であり続けるために、マリア・テレジアが秘匿していたこと

日本ではマリー・アントワネットの母として著名な**マリア・テレジア**。現在のオーストリア、ドイツや東欧諸国などを領土とする、広大な神聖ローマ帝国を統治する女性君主でした。「女性の世紀」と呼ばれる18世紀のヨーロッパを代表する存在です。

1740年、嫡男《ちゃくなん》がいないまま崩御した父親のカール6世の後を継いだマリア・テレジアは、女性後継者など認めないと言い出した隣国との間に勃発した「オーストリア継承戦争」を戦い抜き、実力で領土の大半を守ることに成功しました。

当時から**「女帝」**と呼ばれたマリア・テレジアですが、正式な即位はしていません。彼女と恋愛結婚で結ばれた**夫のフランツ・シュテファン**が、**フランツ1世**として帝位を継いではいるものの、政治の才能がない彼の身代わりとして、マリア・テレジアが

マリア・テレジア（右）と夫のフランツ1世（左）。
2人の間には16人もの子供が生まれたという

皇帝としての公務のほとんどをこなしていたのです。

しかし、政略結婚に重きを置いているハプスブルク家の伝統に従い、彼女は「女にしかできない仕事」——つまり、出産と育児にも並外れた成果を残しました。産後の母親と乳幼児の死亡率が高かった時代に**16人を出産し、13人を成人させた**のです。

「女帝」がもっとも愛した子供は、長男のヨーゼフ（後の皇帝ヨーゼフ2世）だったといわれますが、子育ての方針は迷走しがちでした。

当時の上流階級では母と子の距離が遠く、女性がわが子の話を熱心にすることはエチケット違反ではないものの、一般的ではありません。それでもマリア・テレジアは知り合った人たちに積極的に子育ての話を振って、助言を求めることを繰り返していました。

ヨーゼフがパルマ公国から迎えた妻のマリア・イザベラの目には、義母マリア・テレジアの子育て風景はかなり異様に映りました。

「訊《き》かれた方がうっかりと口にした言葉で、女帝は今まで思いもよらなかったような考えをお持ちになることがある。たとえどんなにありえないことでも（略）女帝はご自分が誤っていると信じておいでなのだ」

他家から嫁いできたマリア・イザベラは、「女帝」マリア・テレジアの母親としての資質に、少なからぬ問題を感じていたようですね。

マリア・テレジアには、実母から愛された記憶がなく、自分が母親として正しく振る舞えているかにも自信を持てず、それゆえ、彼女の教育方針には矛盾した部分が数多く見られたのです。

◆ハプスブルク家が代々悩まされ続けた気鬱

子育てに強い興味を示しながらも、マリア・テレジアは1日の15時間以上を「女帝」として、政務に取り組む日々でしたから、子供たちの教育の大半は養育官の手で行なわれました。

彼女は13人の子供たちを性別と年齢ごとに5つのグループに分け、男の子には**アヨ**、女の子には**アヤ**と呼ばれた貴族出身の養育官をつけました。自分の方針を彼らに伝達し、思いどおりに育ててあげようとしていたのです。

しかし、マリア・テレジアが、子供たちの前から一定期間、姿を隠してしまうことがありました。

本当に信頼している臣下数名にしか明かさなかった事実ですが、**ハプスブルク家の先祖同様、「女帝」もひどい気鬱《きうつ》の症状に悩まされ続けていた**のです。半年に一度、とくに秋半ばに酷《ひど》くなるのがマリア・テレジアの憂鬱《ゆううつ》の特徴でした。

彼女の側近中の側近だったマヌエル・ダ・シルヴァ＝タルーカによると、1743年、26歳の「女帝」の精神状態は「一種の闇の中に落ちてしまっておられます」といわれるほどの危機を迎え、政務からの引退も視野に入れていたほどです。しかし、意識を症状から逸《そ》らすことで、なんとか踏みとどまることができたのでした。

◆シェーンブルン宮殿に残された「女帝の意外な趣味」

「女帝」を引退の危機から救ったと考えられるひとつが、宮殿でした。マリア・テレジアが精神的に危機を迎えていた、ちょうどこの年、ハプスブルク家の夏の離宮として知られるシェーンブルン宮殿の大改装が始まっています。

マリア・テレジアには**トロピカル趣味**がありました。

南国の動植物、とくにパイナップルの強い生命力に惹《ひ》かれたマリア・テレジアは、宮殿の椅子やカーテンなどをパイナップルの紋様で彩りました。パイナップルは当時かなり珍しく、きわめて高価（1個あたり70万円以上！）だったにもかかわらず、栽培するための専用温室をつくったほどです。

残念ながら、パイナップル用の温室は残っていませんが、一室の壁まるごとが熱帯の風景を描いた**「ベルグルの間」**はシェーンブルン宮殿内に現存し、18世紀のデザインを踏襲したであろうパイナップルのモチーフの家具も見ることができます。

彼女が育て始めた「マリア・テレジア・ヤシ」は、その名も「ヤシの家《パルメンハウス》」と呼ばれる温室で成長中です。

厳粛な女帝のイメージとは異なる気がする「トロピカル趣味」ですが、オーストリアの寒く長い秋冬に悪化しがちな鬱を乗り切るための必死の手段だったのかもしれません。

夫の死後「黒い喪服姿」を通したワケ

とはいえ、気鬱は年ごとにひどくなる一方で、30歳をすぎたマリア・テレジアは「心も体も病んでいます。まったく起き上がれません。年を取ったと感じています」と書き記しています。

そして、頑張れば公の場には出られるものの、「理性など、もはやひとかけらも残っていない」とか、「動物のように打ちひしがれて、考えることもできず」に、ふとしたことで沸き起こってくる怒りが抑えられず、立腹した後は自己嫌悪に陥る自分自身のふがいなさを嘆きました。

しかし、この頃の彼女のそばには愛情深い夫、つまり神聖ローマ皇帝フランツ1世ことフランツ・シュテファンがいました。

マリア・テレジアが家庭においては「厳母」であったのに対し、「慈父」として子供たちに接していたフランツ・シュテファンは1765年、56歳の若さで亡くなりました。そして、「ひとり親」になったマリア・テレジアの教育はますます独裁者風に傾いてしまったようです。

最愛の夫・フランツに先立たれた「女帝」は、行き場のない悲しみを親友のゾフィー・フォン・エンツェンベルクに「太陽さえ黒く見えます」「私にとって黒だけが心地よいのです」と打ち明けました。

それからの彼女は、ずっと黒い喪服で過ごしています。**喪服姿で生きるようになっ**

たマリア・テレジアの気鬱の苦しみは、以前よりもずっと深くなっていたのです。

子供たちへの「濃密すぎる情愛」と「過度な冷淡さ」

そんなマリア・テレジアから一度は溺愛されながらも、その後に関係が悪化したのが、「**長女**」の**マリア・アンナ**です。彼女はマリア・テレジアがヨーゼフ誕生前に出産した3人の子供たちのうち、唯一、生き延びて成人した女性でした。

4、5歳までは快活で愛らしい性格だったマリア・アンナですが、1744年9月に、原因不明の高熱を出して以降、その後の人生の大半を様々な症状に苦しめられるよう、運命づけられてしまいました。

危篤症状を脱したものの、マリア・アンナの身体には重い障害が残りました。養育官の言葉によると「片方だけあばらがずい分と曲がっていた」ので、動くことさえ一苦労の彼女からは、少女時代の快活さが永遠に消え去ってしまったのです。

ベッドの上、もしくは部屋の中で過ごすことが多いマリア・アンナは、絵画や音楽など芸術の素養を深め、哲学を学び、父親のように自然科学の研究や古いコイン収集の趣味を楽しみ、後には物理学、化学、考古学にも通じるようになります。

しかし、娘の将来としてはよき妻、よき母になることだけを一番に考えていたマリア・テレジアは、こうしたマリア・アンナの知的な成長をまったく喜ばず、母親の強情な態度が、長女を人間嫌いにさせてしまったようです。

成長後もよく寝込んだマリア・アンナについて、「女帝」は「あの子は半年ごとに死ぬのかしら」などと笑えないジョークを発したこともありましたが、ある内輪の集まりで、20歳を越えることができたマリア・アンナが美声を披露したときには感動のあまり、「マリアンナ（＝家族の中での彼女の呼び名）が歌っているのを聞いて、涙が出そうなほど感動しました。（略）ほかの子たちよりも愛していると感じました」と、母親としての率直な愛情をほとばしらせることもありました。

マリア・アンナに限らず、マリア・テレジアの子供たちへの対応を見ていると、濃密すぎる情愛と過度な冷淡さの2つの極が、めまぐるしく入れ替わり、一貫性がまったくないのです。それは気鬱症に苦しめられている「女帝」の生きづらさの表われでもあったのでしょうが……。

ちなみに、13人いた子供たちの中で、もっとも愛された娘とされるのは、**「第4女」マリア・クリスティーナ**でしたが、彼女は「女帝」の娘としての特権を享受する一方で、まるでマリア・テレジアの母親のように振る舞っていたことが残された資料からもうかがえます。

長女のマリア・アンナ（上）。
四女のマリア・クリスティーナ（下）

✦「威厳」を失うことを恐れる苦悩

1780年にマリア・テレジアが亡くなると、「女帝」最愛の娘であるマリア・クリスティーナだけでなく、逆にもっとも心が離れてしまっていたかのように見えた「長女」マリア・アンナも、彼女の死を嘆き悲しみ、執筆した回顧録の中で「最高の母だった」と記しています。

マリア・テレジアがマリア・アンナを遠ざけようとした本当の理由は、「女帝」が女性知識人を嫌っていたからという表面的なことではないのでしょう。

臣下のほとんどはマリア・テレジアが気鬱症であることに気づいてさえもいませんでしたが、さすがに子供たちは違ったようです。それでも、マリア・テレジアは鬱を隠そうとしていました。**洞察力に優れたマリア・アンナに、自分の気鬱症を気取られ、威厳を失うことを恐れる母親としての苦悩があったのでしょう。**

マリア・アンナとしては、そんな母親とはあえて距離を保ってやることが、彼女なりの愛情の示し方だと考えていたのかもしれません。そうでなければ「最高の母親」としてのマリア・テレジアの最晩年と死に様を、マリア・アンナがわざわざ書き残そうとした理由はわからないような気がします。

ウィーン中心部にあるカプツィーナ教会の地下には、ハプスブルク家の人々の石棺が大量に集められた、霊廟《れいびょう》と呼ぶにはあまりに広大なスペースがあります。その中で、ひときわ目立つ巨大な石棺が「女帝」マリア・テレジアで、帝国の歴史における「中興の祖」といえる彼女の存在感がいかに大きいかが示されています。

同時に、長年にわたる彼女の良好な統治は、多くの人々、そして子供たちの犠牲と愛情に支えられてはじめて可能だったことに思いを馳《は》せてしまうのです。

ルイ16世とマリー・アントワネットの「結婚の完遂」が遅れに遅れたワケ

18世紀のヴェルサイユ宮殿においては、あの**マリー・アントワネット**がはっきりと「Ｎｏｎ！」を突きつけるまで、フランス王妃は出産さえ公開せねばならないというような奇妙な伝統の数々がありました。王族とは誇り高く、間違いを犯さず、公明正大であると生活のすべての場面で証明せねばならなかったのです。

革命前のフランスでは身分が高いほど、現代ではもっともプライベートな部分とされる性に関する事柄の多くが、かなりオープンに取り扱われました。

フランスに嫁いだマリー・アントワネットは、頻繁《ひんぱん》に母親でオーストリア大公妃のマリア・テレジアに手紙を書き、自身の月経の不順や、夫の**ルイ・オーギュスト王太子**（後の**ルイ16世**）との性生活がうまくいかない悩みをあけすけに相談しています。

そんな愛娘の悩みに対しては、オーストリア帝国の「女帝」も、世話好きな母親の顔をのぞかせ、多忙な中でもきちんと向かい合おうとしていました。

ただ、マリア・テレジアは医師ではないので、そのアドバイスには少々、いや、かなりの偏向がありました。娘の重い生理症状の悩みに対しても、マリア・テレジアは「妊娠すれば治る」と繰り返しました。妊娠すればたしかに月経は止まりますが、その前には、性行為という大関門が控えていたのですが……。

◆「初夜の報告」がないまま7年のときが流れ……

お互いに15歳のときに迎えたアントワネットとルイ・オーギュストの初夜は、あっけないものでした。彼らは長い結婚式のせいでくたびれはてており、ベッドに入ったとたん、寝息を立ててしまったので、記念すべき初夜は何事もなく終わったのです。

別室で不埒《ふらち》な冗談をいいつつ、二人からの初夜の報告が上がってくるのを待ち構えていたフランス国王ルイ15世や、廷臣たちは拍子抜けでしたが、「二人は若いのだから、自然の流れに任せよう」という空気が、このときは流れたようです。

「結婚完遂」まで7年間もかかった
マリー・アントワネットと夫のルイ16世

——しかし、その後、7年にもわたってこの二人が「結婚完遂」したという知らせはないままでした。

当時の結婚は、新郎新婦の性行為が無事完了したという事実確認をもって、はじめて完遂したと考えられていたので、彼らは壮麗な結婚式を挙げたというのに、いまだに本当の意味では結婚できていないままだったのです。

ルイ・オーギュストとアントワネットはその後も、性行為を試みたのですが、あえなく失敗しており、このつまずきは後々まで、二人の関係に大きく響いてしまうことになりました。

アントワネットは健気にも「私たちはこれからも一緒に仲よく暮らしていかねばな

らないのだから、心を許してなんでも打ち明けるようにしなくてはなりませんね」と、ルイ・オーギュストを慰《なぐさ》めたのですが、恥じ入った彼は殻に閉じこもるようになってしまい、寝室で二人きりの時間を過ごす機会もほとんどなくなりました。

早い時期から夫妻は別々の寝室で休むようになっています。娘の手紙でこの事実を知ったマリア・テレジアは怒り、「妻は夫と同じベッドで寝るものだ」と娘に訓戒を垂れましたが、やはり気まずかったのでしょう、事態は改善しないままでした。

◆「王太子の股間を観察せよ」——差し向けられた外科医

しかし、マリー・アントワネットの評伝で有名なオーストリアの作家、シュテファン・ツヴァイクがかつて記したように、「ルイ・オーギュストの性器には軽い奇形があった」という点については、歴史研究家のシモーヌ・ベルティエールが綿密な実証研究の末に「誤解である」と断言しています。

ルイ・オーギュストの下半身の状態は、複数の医師が何度にもわたって診察を試み、それを文書化しているのです。最初は祖父であるルイ15世からの干渉でした。

国王は「結婚の完遂」の報告をしてこない王太子夫妻にいらだちを隠せず、両者の結婚式から2カ月後、風邪をひいて王太子が寝込んだのをいいことに、ラ・マルティニエールというベテラン外科医を差し向けました。そして風邪の診察にかこつけ、もうろうとした王太子を裸にして、「股間を観察せよ」と命令しています。

フランス王の疑問は大きく分けて2つでした。

「(若い王太子は)包茎だろうか? 割礼《かつれい》を施《ほどこ》すべきなのか?」

「包皮が短すぎる、もしくは長すぎるため勃起障害が起きていないか? ランセット(手術用のメス)を使った簡単な処置で治せるのではないか?」

しかし、ラ・マルティニエールが診察して出した答えは国王からの疑問のすべてに対して「Non!」であり、「必要ない」というものでした。

にもかかわらず、その後も夫妻が結婚の完遂をしたという報告は上がってきません。2年後にも同じラ・マルティニエール医師によるルイ・オーギュストの下半身の診察が行なわれますが、当然、同様の結果が報告されることになりました。

この結果はヴェルサイユじゅうに公表され、マリー・アントワネットの相談役だったメルシー伯爵も彼女に「王太子殿下に肉体的障害はひとつもありません」と告げています。

この報告は、アントワネットにとっては衝撃でした。

これまで彼女の母マリア・テレジアは「愛娘側に問題など、あるはずがない！」という態度を崩さず、アントワネットも母親のいうことを鵜呑みにしており、「結婚の完遂」に至らないのはすべて、ルイ・オーギュストの問題だと考えていたからです。

ルイ・オーギュストは、祖父ルイ15世の派遣した医師の次は、義母マリア・テレジアが送り込んだ医師たちからも繰り返し下着を剝《は》ぎ取られ、下半身の観察をされていました。しかし、家庭教師だったソルディーニ神父の「本心を決して表に出してはいけない」という教えどおり、じっと屈辱に耐え続けたのでした。よけいに夜の営みに支障が出そうですが……。

マリア・テレジアは、**ルイ・オーギュストの肉体には問題ないが、まだ彼の精神が性行為を行なうには未熟すぎるのが不能の原因**という複数の医師による同様の検査結果を聞いてもなお納得できず、「とにかく外科手術を！」という持論を崩しませんでした。

◆妹のために「偽名」で送り込まれた神聖ローマ帝国皇帝

1777年の4月、アントワネットの兄のヨーゼフ2世が、「ファルケンシュタイン伯爵」なる偽名でフランスを非公式訪問しています。**現役の神聖ローマ帝国皇帝を、義弟の寝室問題のためにはるばるウィーンからヴェルサイユまで訪れさせるとは、**さすが「女帝」マリア・テレジアです。

マリア・テレジアが、ほかならぬヨーゼフ2世を差し向けた理由には、彼がかつては女嫌いで、パルマ公国から迎えた妻マリア・イザベラとの初夜を恐れてさえいたにもかかわらず、後には彼女と愛に満ちた結婚生活を築けていたことも念頭にあったのでしょう。

ヨーゼフ2世は、義弟と腹を割って話し合い、ついに「外科医のメスで辺縁切除手術をうける約束」を取りつけたと、マリア・テレジアに手紙で報告しているので、その後、ルイ16世が手術を受けたと考える学者も多いのですが、そのような事実はありません。ルイ16世の日記はおろか、その周辺にも事実を証明する記録が一切ないのです。

ヨーゼフは、一度言い出したら引き下がらないマリア・テレジアの操縦方法を熟知しており、母親から余計な心配の種を取り除こうとして、そう書き送ったのでしょう。ともあれ、実弟二人とは折り合いが悪いルイ16世にとって、対等な立場で、義兄ヨーゼフと性の悩みを語り合えたことはよかったようですね。信心深すぎる父母から植えつけられた、セックスに対する罪悪感も、かなり薄らいだのかもしれません。

喜びに満ち溢れた手紙がマリア・テレジアのもとに

ヨーゼフがオーストリアに帰ってしばらくした1777年8月18日、アントワネットはマリア・テレジアに向けて喜びの手紙を書き送りました。

「私は生涯最大の幸福を味わっています。1週間以上も前ですが、私の結婚は成就しました。（略）まだ妊娠しているとは思いませんが、少なくとも、すぐにでも妊娠が可能だという希望を抱いています」

アントワネットの希望は現実となり、彼女は合計4回、ルイ・オーギュストの子を出産しています。

1778年には長女のマリー・テレーズ・シャルロットを、1780年には流産を経験しますが、1781年には長男ルイ・ジョゼフ、そして1785年には次男ルイ・シャルルが誕生しています。その翌年には次女のマリー・ソフィーが生まれたものの、わずか10カ月で夭折《ようせつ》しました。

しかし、アントワネットとルイ・オーギュストは、夫婦としてはやはり相性がよかったとはいえませんでした。「結婚完遂」後も気弱で、信心深すぎて、性に対する罪悪感が完全には拭《ぬぐ》えない夫は、妻を求めることに負い目を感じてしまっていました。

その負い目はアントワネットの私生活の希望のほとんどすべてを叶え続けることで代償されたとも考えられます。

アントワネットが愛人男性を持つことまではさすがに認めないものの、彼女には「忠誠を誓う騎士《シュヴァリエ・セルヴァン》」を持つ権利が認められていたことが知られ、その一人が、あのフェルセン伯爵だったのでしょう。

初夜につまずいて、「結婚の完遂」が遅れに遅れたこと——それが後の世にまで続く「強気な外国人妻の尻に敷かれた気弱な夫」というルイ16世のイメージをつくり上げてしまったのでした。

さまよえる美貌の皇后・エリザベートの悲しき末路

19世紀末、黄昏《たそがれ》時を迎えたハプスブルク家の屋台骨はゆらぎ、時のオーストリア＝ハンガリー帝国の皇帝である**フランツ・ヨーゼフ1世**は苦悩の日々を過ごしていました。そんな彼をウィーンの宮廷に放置し、ヨーロッパ各地をさまよい続けたのが**エリザベート皇后**です。

かつてエリザベートはこんなことを書いたことがあります。

「出帆《しゅっぱん》してゆく船を見ていると、私はその上にいたいと願う。その目的地がブラジルだろうが、アフリカあるいは喜望峰だろうが、それはどうでもいい。ただし、ひとつの地点に長くい続けるのだけは嫌だ」

堅実な人柄で知られたフランツ・ヨーゼフ皇帝とは正反対の気まぐれさを常に発揮、

「ヨーロッパ宮廷一の美貌」と謳われた皇后エリザベート。
〝シシィ〟の愛称で知られる

贅沢《ぜいたく》な生活を送るエリザベート皇后には批判も集まりましたが、当の皇帝が皇后のわがままをすべて許してしまうのですから、どうしようもありません。

しかし、フランツ・ヨーゼフがいくら愛しても、彼の腕の中をすり抜けていったエリザベートの残り香は、スミレの花の匂い……そんな空想もしてみたくなります。というのも、**エリザベートは濃厚な香水は嫌い、スミレのオーデコロンを日常的にまとっていた記録がありますから。**

✦散歩好きのエリザベートの素肌を潤したローズクリーム

ヨーロッパでは長い冬が終わり、春を知らせてくれる花のひとつとしてスミレに人気があります。エリザベートのオーデコロンは、スミレの花と根から蒸留された香りに、リンゴ酢、蒸留水を混ぜたものでした。

また、彼女はシャーベットにスミレを添えさせたり、スミレをチョコレートで包んだり、砂糖漬けにしたスミレのお菓子も好みました。こういった〝**香りを食べる**〟という感覚は、日本人にはあまり馴染みがないかもしれません。

スミレと同様、**エリザベートはバラの香りも愛しました。**彼女が愛用した洗顔ジェル、シャンプー、それから基礎化粧品などはバラの香りを基調としており、ウィーン宮廷薬局に特注された品だったそうです。バラのエキスには肌に栄養を与え、しわを予防するなどの効果があると考えられていました。

ウィーン宮廷薬局に残されたエリザベート愛用のローズクリームは、バラ水にラノリンや無塩バターを加え、攪拌《かくはん》したものをベースにしています。バラ水にアーモンドオイルなどを加えた、通称「セレストクリーム」という伝統的な化粧品と並行して使用しました。

意外かもしれませんが、エリザベートは貴婦人たちの中では異例なほどのアウトドア派で、乗馬はもちろん、長時間の散歩が大好きでした。

日傘も用いましたが、外にいる時間がとにかく長いので焼け石に水。日焼けで傷んでしまった素肌を元に戻そうと必死だったことが、ローズクリームの使用からは見えてくるような気がします。

✦姑・ゾフィー大公妃に吐かれた〝暴言〟とは？

それでも運動を続けたのには理由がありました。若い頃のエリザベートはふっくらとしていたので、「丸太のように太い腕」と、姑《しゅうとめ》にあたるゾフィー大公妃から注意されたことがあったのです。

また大公妃からは、エリザベートの歯の色が黄ばんでいるといわれたこともあり、傷ついた彼女は**「美しくなければ生きている意味がない」**と口癖のようにいって、偏執的なまでに美へのこだわりを見せるようになります。

身長172センチ、体重50キロ、ウエスト50センチという自分に課した黄金比のプロポーションを保つため、激しいフィットネスに熱心に取り組むエリザベートですが、問題は美容です。彼女のアンチエイジングの情熱に当時の化粧品技術はなかなか応えてくれなかったようです。

35歳を迎えた頃から、彼女は人前に出ることを避けるようになりました。当時、すでにパパラッチと称されるようなカメラマンは存在しており、待ち伏せしていた彼らからふいにカメラを向けられたときの対策として、彼女は大きな扇《おうぎ》を持ち歩き、自分の顔を隠すことを覚えました。

そうしたポーズの彼女の写真は何枚も残っていますが、少々異様な印象です。その一方で、若い頃の彼女しか知らない人々の記憶の中でだけは、エリザベートは永遠の若さを保ち続けることができました。

◆「容姿の劣化」を男爵に手厳しく論評され――

しかし、この頃にはすでに宮廷薬局謹製の化粧品から漂《ただよ》うバラやスミレの香りも、もはやエリザベートには甘くは感じられなくなっていたことでしょう。現実のエリザベートの美貌は寄る年波にさらわれ、すり減っていったと考えられるからです。1885年、48歳のエリザベートの旅行のお供を拝命したアレクサンドル・フォン・ヴァルスベルク男爵は、彼女の容姿の衰えを目近にしてショックを受けたようです。

男爵は、**「私が見た彼女は醜く、老齢で、ヒョロヒョロと痩《や》せて見え、身につけて**

いるものはお粗末だった。目の前にいるのは愚か者ではなく、狂女なのだという印象を受けた」と手厳しい感想を自分の旅行記に書きつけています。しかし、他人から好き勝手に自分の容貌やその「劣化」について語られてしまうのは、かつて美貌で有名だった人にしかわからない苦悩でしょう。

✦パパラッチされた写真に残る「晩年の姿」

晩年のエリザベートは、ほとんどの時間を旅行に費やしました。彼女の最後の旅先はスイスの景勝地・レマン湖で、侍女と船着き場に向かう途中にルイージ・ルケーニというイタリア人無政府主義者に襲われ、先を尖《とが》らせる加工を施したヤスリによって心臓をひと突きされた傷が原因で、1898年に亡くなりました。

8センチにもわたって彼女の心臓は刺し貫かれていましたが、最期の言葉は**「私に何が起きてしまったの？」**です。エリザベートは自分が死傷を負わされたことにも当初は気づかず、ただスリにぶつかられただけだと考え、湖を渡る船に乗り込んでから意識を失ってしまったのでした。

奇《く》しくも、彼女の死の前日、たった一人の侍女だけを連れて、散歩に出かけようとしたエリザベートの姿をパパラッチが隠し撮りした1枚の写真が存在します。

彼らから不躾《ぶしつけ》な視線を向けられることを忌《い》み嫌うがあまり、「できればカタツムリの中に入ってしまいたい」のだけれど、そうなれば「殻が怒りで破裂してしまう」という詩を書いたこともある晩年のエリザベートはたしかに痩せて、白髪も増えていたようです。

しかし、盗み撮りされた写真のおかげで、61歳になろうとしていた彼女が厳しく険しい表情をしていながらも、本当の意味での美しさを失ってはいなかったことがわかるのは、なんという皮肉でしょうか。

フランソワ1世とヘンリー8世が苦しめられた「やっかいな感染症」

もっとも長い期間、人類を脅かし続けた病気のひとつが**梅毒**です。

ヨーロッパが梅毒の大流行の波に襲われたのは、15世紀末のこと。効果的な治療法が見つかっていなかった当時、感染は広まる一方で、**16世紀の前半にはイギリスとフランスの国王両名まで梅毒を患って苦しんでいた**ようです。

ルネサンス文化を熱心に保護したことで知られる**フランスのフランソワ1世**と、ローマ教会と対立して宗教改革を断行した**イギリスのヘンリー8世**の二人です。

フランソワ1世が、当時のフランスにおける梅毒の呼び名「イタリア病」に感染するまでには、とんでもない経緯があったと噂されています。

◆「道ならぬ恋愛関係」からフランソワ1世に梅毒感染

あるときから、フランソワ1世は、フェロンというパリの法律学者の美しい妻と道ならぬ恋愛関係に陥っていました。国王がフェロン夫人をいかに気に入っていたかの証《あかし》として、当時、彼がパトロンになって、イタリアから呼びよせたレオナルド・ダ・ヴィンチに彼女の肖像画を描かせたという伝説もあります。

そんな妻の不実とフランソワ1世の暴虐に、夫のフェロンは怒り狂いました。嫉妬の炎に燃える彼の復讐は、まず自身が売春宿に入り浸ることから始まりました。梅毒になるまで娼婦たちを抱き続け、それから妻と寝て彼女に病気をうつします。そして妻がフランソワ1世に病気を感染させるのを待つという遠大な計画です。

実際にそれでうまくいってしまったようですが、当時、不治の病であった梅毒を意図的に感染させるという行為は、緩慢な殺人罪に等しく、法と正義を体現すべき法律家にはあるまじき行為だったでしょう。現代の法律ならば「傷害罪」が適用されてもおかしくはありません。

◆表向きは「肺結核」の国王に施された恐るべき水銀療法

フランソワ1世の死因は表向きは肺結核だったといいますが、王が45歳を迎えた1539年9月23日には「下腹に移動していく潰瘍《かいよう》」を発症したという記録があります。

また、フランソワ1世には宮廷の侍医から水銀を全身に塗りたくられ、暖炉のそばで寝ているうちに皮膚の表面が溶け落ちて、すさまじい悪臭を発する「**水銀療法**」を受けたという記録もあります。

水銀によって皮膚を溶かすのは、梅毒特有の疾患を消し去るためのその場しのぎの方策でしかなく、根治はのぞめません。それどころか、水銀が人間の身体に致命的なダメージを与えるという事実は当時、恐ろしいことに知られていませんでした。

水銀を皮膚に擦り込んでしまったときの副作用として有名なのは、1日あたり2リットルもの唾液を垂れ流すようになることでしょう。この頃の医師たちはそれを「毒素が体内から排出されている証」などと患者には説明し、素知らぬ顔だったのです。

こんな身体に害しかない行為が、「治療」として、しかも超高額の報酬と引き換えに行なわれていたことには恐怖しか感じません。

ほかにも、フランソワ1世にはドイツの大富豪・フッガー家が利権を独占している梅毒の特効薬だと考えられていた**グアヤクの木の皮**を採集させるために、ブラジルまで商船を派遣した記録まであります。これらを見ても、彼が梅毒に苦しんでいたことは間違いなさそうです。

ヘンリー8世の妃たちが「流産と死産」に見舞われたワケは？

フランソワ1世と同時期にイギリスの玉座にいたヘンリー8世も、梅毒によって人生が狂った一人です。梅毒のイギリスでの呼び名のひとつは「フランス病」でしたが、ヘンリー8世にはフランソワ1世のように病気に関する際立った逸話はありません。ただ、10代のときにはすでに梅毒に感染していたようですね。

最初の**王妃キャサリン・オブ・アラゴン**はヘンリー王との間に4人の子を儲けましたが、一人を除き、すべてが死産か、生まれてはすぐに亡くなるという悲劇に終わりました。こうした現象は梅毒患者にはよくあることで、しかもキャサリン妃だけでなく、ヘンリー王の子を宿した女性のすべてに見られるのです。

ちなみにキャサリンの産んだ娘は一人だけが生き残り、紆余曲折の末に**メアリー1世**として即位しています。しかし、英国王室の相続法は、古代ゲルマン社会から引き継いだ「サリカ法典」に基づいており、本来ならば女子への戴冠は認められていませんでした。

このため、世継ぎがほしいヘンリーは自らイングランド国教会を創設し、大司教に寵臣を任命すると、キャサリンとの離婚を無理やりに認めさせたのでした。

次にヘンリーが結婚したのは、かつてはキャサリンの侍女だった**アン・ブーリン**です。彼女が最初に授かったのが後に「**処女王**」と呼ばれる**エリザベス1世**でした。

しかし、エリザベスが生まれた後、アンはヘンリーの子を身ごもるたびに流産するようになります。一方、エリザベス女王には梅毒らしい痕跡は見られぬままだったので、彼女はもしかしたらヘンリー王の血を引いていない娘だったのではないか……とも考えられるわけです。

エリザベス1世が生涯を通じて伴侶と世継ぎを持たず、「処女王」であり続けた理由は、もしかしたら出生の秘密と関係しているのかもしれませんね。

◆殺人鬼「青ひげ公」のモデルといわれた残酷さの理由

1536年、ヘンリーはエリザベス出産後に子供を産まないアンにしびれを切らし、姦通罪の濡れ衣を着せた上で処刑してしまいました。その翌日、早くも**ジェーン・シーモア**という女性と結婚し、彼女は待望の男子エドワードを産んでいます。

しかし、出産後のジェーンは体調を崩してそのまま亡くなります。それからヘンリーは、3人の女性を取っかえひっかえするように妻として迎えているのですが、いずれの女性からも子宝は得られぬままでした。

ヘンリー王が次々と花嫁たちを殺害していく「青ひげ公」のモデルともいわれる理

ヘンリー8世と6人の妻たち。妻を次々取り替えた残虐さから、かの「青ひげ公」のモデルともいわれる

由がよくわかります。

ヘンリー王は晩年には脳まで梅毒に冒されたらしく、いっそう乱暴な言動が目立つようになってしまいました。ヘンリーが55歳で亡くなると、周囲はホッとしたことでしょう。

そして彼のたった一人の男子が、王家は男系相続に限るという当時のイギリス王国の法にのっとって即位し、**エドワード6世**となりました。

しかし、それから6年後、彼は15歳の若さで亡くなっています。死因は肺結核とされましたが、父王から引き継いだ先天性梅毒が影響していたのかもしれません。

かくして、跡継ぎの男子を失ってしまったイギリス王室は、相続に関する特例を発布、ヘンリー8世の子供の中で生き残った二人の娘が相次いで即位していくのでした（メアリー1世とエリザベス1世）。

二人の王がなくなった後も、梅毒は多くの人の生命を脅かし続けましたが、19世紀半ばになるまでの欧米医学の水準では、梅毒と淋病《りんびょう》の違いさえ判明していませんでした。ただ、フランソワ1世とヘンリー8世は状況証拠から見て、梅毒であったことは、ほぼ間違いないでしょう。

梅毒と淋病という2つの病が、まったく異なる病気であると科学的に証明されたのは、二人の国王が罹患《りかん》してから、なんと300年ほど経った、1838年のこと。フランス人医師フィリップ・コラールの証明実験によってでした。

さらに梅毒の診断法が確立し、根本的な治療薬が開発されていったのは20世紀になってからだったのです。

梅毒に限らず、途方もない犠牲と年月をかけて、人類はさまざまな治療法を獲得していったのですね。

イギリス国王ジョージ5世はなぜ、ロシア皇帝ニコライ2世を見捨てたのか

第一次世界大戦で食べることにさえ苦しんだロシアの民衆は、パンを要求してデモを行ないました。ロシア皇帝・**ニコライ2世**は、そのデモの鎮圧にかかりますが、1917年3月15日、革命勢力の猛攻の前になすすべもなく退位することになりました。血友病を患っていたアレクセイ皇太子にかわって、弟のミハイル・アレクサンドロヴィチ大公に皇位を譲ろうとしたものの、大公は即位を拒否し、300年以上にもわたった**ロマノフ朝の歴史は終焉《しゅうえん》**しました（**「三月革命」**）。

皇族から平民に身を落としたニコライ前皇帝とその一家の身柄は、臨時政府の監視下に置かれ、かつての帝都・サンクトペテルブルクから南方24キロほど離れたツァールスコエ・セローという小さな町で監禁されることになりました。

ロマノフ王朝最後の皇帝ニコライ2世とその一家。
「亡命の地」としてイギリスが選ばれていたが――

ロシア側の臨時政府にも、前皇帝一家に恩情をかける人々がまだ残っており、ケレンスキー法相（後に首相）やミリューコフ外相らが、イギリス側のロイド・ジョージ首相、バルフォア外相と熱心に折衝を繰り返したことで、3月の時点では前皇帝一家の亡命がイギリスにおいても閣議決定されていたのです。

あの「ヴィクトリア女王の孫どうし」という深い血縁

なぜ、亡命の地にイギリスが選ばれたのでしょうか。

実は、**イギリス国王ジョージ5世と、ニ**

コライ前皇帝は、あのヴィクトリア女王の孫であり、いとこ同士にあたりました。単に血縁が近かったというだけでなく、お互いを「ニッキー」「ウィリー」と愛称で呼び合うほど仲がよかったのです。

しかし、この年の3月末から4月の時期にかけ、イギリス国王ジョージ5世は不可解な心変わりを見せ、前ロシア皇帝一家の亡命を拒絶するようになったのです。

その後、周囲の説得を何度も受けたにもかかわらず、英国王はこの問題に関して、二度と首を縦に振ることはありませんでした。

当時のイギリス国内では、自由党左派のロイド・ジョージ首相が王族・貴族たちにきわめて厳しい態度をとっていることで知られました。しかし、その首相も賛成しているロシア前皇帝の亡命に対して、ジョージ5世が拒絶の意思表明をした理由はよくわかっていません。

この英国王の変心に対し、ロシアのケレンスキー法相らは必死の努力を続けました。前皇帝一家をロシアからイギリスに運ぶために、イギリス海軍の軍艦が使われる約束まで取りつけ、イギリスと敵国になっているドイツからも、この軍艦に潜水艦攻撃を行なわないと確約までさせ、外堀を埋めた上で再交渉に努めたのです。

にもかかわらず、ジョージ5世は拒絶の意思を曲げることはなく、イギリス側の交渉を担当していたブキャナン大使は目に涙を浮かべながら、「イギリスからの軍艦はロシアには来ない」と、最終決定を通告せざるをえませんでした。

亡命のネックとなったのは「皇后と怪僧」との怪しい噂？

ロシア前皇帝一家が、イギリスに亡命できなかった理由はなんでしょうか？

一家の亡命を受け入れるということは、彼らの面倒を見るだけでなく、「ロイヤルファミリー」のメンバーに加えるのと同義です。当時のイギリスはドイツと戦争中でした。

そんなときに、**「ドイツのスパイ」という噂が根強いアレクサンドラ前皇后**を迎え入れてもいいものでしょうか？　そうでなくても彼女には、超能力を駆使し、病弱なアレクセイ皇太子を癒やしたという**グレゴリー・ラスプーチンなる「怪僧」との密接すぎる関係**が噂を呼んでいました。

おまけに、ラスプーチンとロシアの女官たちの間にも性的な関係があったというスキャンダルまで公然と知れ渡り、世界じゅうで囁《ささや》かれていたのです。ここまで不人気な女性を自分の家族に迎え入れることは、「ロイヤルファミリー」という究極の「人気商売」にとって致命傷になるとジョージ5世は冷徹に判断したのかもしれません。

◆ボリシェヴィキによる革命政府が「もっとも恐れたこと」

イギリス国王から見捨てられた前ロシア皇帝一家は、1917年8月1日、ツァールスコエ・セローを離れ、ケレンスキー首相率いる臨時政府の主導でシベリア西部のトボリスクに移動しています。

一家がトボリスクに来て2カ月経った頃、ロシアでは、**「十月革命」**が勃発します。ロシアに帰国したウラジーミル・レーニンが率いて武装蜂起した、社会主義左派勢力のボリシェヴィキというグループの手によって、**ケレンスキー内閣は瓦解《がかい》**しました。ケレンスキー首相は、サンクトペテルブルクから改名されたペトログラード中枢部にある通称・冬宮にいましたが、周辺をボリシェヴィキの兵士たちに取り囲まれつつありました。そこから、彼は忽然《こつぜん》と姿を消したのです。ケレンスキーの亡命後は、前皇帝一家に同情的な有力者はロシア国内には誰一人いなくなってしまいました。

それからの一家は、1918年4月から5月にかけて、ロシアのさらに奥地にあるウラル山中のエカテリンブルクに移動することになりました。当地で一家は**イパチエフ館**なる建物に監禁され、野蛮な兵士たちの監視下に常時置かれることになります。夏が近づくにつれ、国内外からロシアの革命政府への内政干渉は強まる一方で、前皇帝一家が救出されることになれば、反革命勢力の旗頭に祭り上げられることは自明だという見方が革命政府のあいだで強まりました。

そんな中、大惨事が起こるのです。

前皇帝一家惨殺と「アナスタシア皇女生存説」

アレクサンドラ前皇后の日記によると、運命の7月16日は夜10時に眠ったそうです。

これが彼女の最後の日記となりました。

翌17日の早朝、眠っていた前皇帝夫妻と子供たちあわせて7人は「他の土地に移動することになった」と、監視の兵士たちから告げられ、起床させられました。一家は車が到着するまでのあいだといわれて、地下室に向かっています。

この行動は、どう考えても不自然なのですが、それでも素直に従っているところから、彼らはイギリスへの亡命が土壇場で、秘密裏に可能になったと思い込んでいたのかもしれません。

しかし**地下室で行なわれたのは、前皇帝一家の射殺と刺殺でした**。その後、20世紀後半に行なわれた遺骨調査を担当したコリヤコヴァ博士は眉をひそめ、「これほど多くの遺体がこれほどひどく損傷された例を私は見たことがありません」といっています。

ソヴィエト政府がほとんど沈黙している中で、現地調査を行なったニコライ・ソコロフ捜査官の証言によると、前皇帝一家の「埋葬」が行なわれたのは、殺害の翌日だったそうです。前皇帝夫妻と子供たち5人、そして彼らにつき従っていた侍医やメイドたち合わせて11人の遺体が、ヤコフ・ユロフスキーの指揮によって斧で断ち切られました。

その後、バラバラにされた遺体は2台のトラックで廃鉱のそばまで運ばれ、ガソリンで燃やされ、その上から何度も硫酸がかけられるのを繰り返したそうです。最終的には、灰になるまで燃やしつくされた……というのがソコロフの証言でした。

ちなみに、このソコロフに資金援助をしていたのは、ニコライ前皇帝の実母マリア・フョードロヴナ皇太后です。彼女は1928年10月に亡くなるその日まで、ソコロフの調査結果を受け入れることはありませんでした。

彼女の「息子たちは生きている！」という根拠なき主張は、他国へ亡命したロマノフ家の人々にも受け継がれ、そこに前ロシア皇帝一家の悲劇に同情する民衆の祈りが加わって「**アナスタシア皇女だけは生き残った**」という都市伝説が生まれたのです。

ソ連崩壊後に出土した「遺骨」が語っていること

前皇帝夫妻が最期を迎えた**イパチェフ館**は、その後も一種の革命記念館として存続

ソヴィエト崩壊後に掘り起こされたロシア皇帝一家の遺骨が眠る墓所。サンクトペテルブルクのペトロパブロフスク大聖堂内にある

していましたが、市民たちの前皇帝一家への同情が高まった1970年代に、政府の手によって壊されました。

しかし、ソヴィエト政府が前皇帝一家と、その遺体に加えた残虐すぎる仕打ちは、幾度にもわたる隠蔽《いんぺい》工作にもかかわらず、結局、明るみに出ることになったのです。

1980年、捜査官ソコロフの証言をもとに、ロシア国内の有志の手で前皇帝一家の遺骨の発掘が試みられたことを皮切りに、何度も調査が行なわれます。そして、ソヴィエトが崩壊した1991年以降、ついに出土した前皇帝一家の遺骨からは、硫酸をかけられ、ガソリンで燃やされた痕跡がありありとうかがえたのでした。

無力な前皇帝一家に対し、いくらソヴィエトの過激派でも、そこまで残虐なことはしないだろうという憶測は消え去りました。そして、さらに詳しい遺骨鑑定の結果、一家には誰一人として生存者はないことが判明しました。つまり、皇女アナスタシアの生存伝説など、最初から夢と幻だったのです。

「ニコライ皇帝一家の死」に対するジョージ5世の反応は？

ニコライ前皇帝一家をめぐる一連の悲劇は、一家の亡命を土壇場で拒否したイギリス国王ジョージ5世の決断によって生まれたともいえるものですが、その後、彼は良心の呵責《かしやく》にさいなまれることはあったのでしょうか。

秘密主義で知られるイギリス王室は、今後も決してその詳細を漏らすことはないでしょうが、ジョージ5世が亡くなったアレクサンドラ前皇后の妹・ヴィクトリアにあてた手紙は、世に知られています。

「親愛なるヴィクトリア、あなたの愛する姉とそのいたいけな子供たちが悲惨な最期を遂げたことについて（略）心痛の思いでいっぱいです」

哀悼《あいとう》の意を表している英国王ですが、夫と共に殺されたアレクサンドラの気持ちを想像し、「愛する夫ニッキー（ニコライ2世）が死んだ後も自分だけ生き残ることを決して望みはしなかったであろう」などと記しています。

そのうえ、「そして美しい娘たち」も「死を選んだほうがましだと思ったに違いありません」とも書いており、一家を見殺しにした自分の行為を正当化しようとしているようです。つまり、**国王は彼らの死に対する自分の責任を痛感し、悩まされていた**ことがうかがえるのですね。

しかし、苦悩しながらも王冠を守り抜き、子孫に手渡すことができた英国王ジョージ5世と、帝位とすべてを失ってしまったがゆえに伝説となり、ロシア正教会から「聖人」に祭り上げられたニコライ2世の運命の対比は鮮やかで、とても残酷です。

2章

歴史に名を残す英雄たちの「知られざる素顔」

……その「狂気と衝動」はどこからくるのか

空前の大帝国を築いたチンギス・ハンの〝意外な弱点〟

13世紀に空前絶後のモンゴル帝国を建国したチンギス・ハン。モンゴルの名門の生まれだった〝蒼き狼〟は、いかにして大版図《だいはんと》を手に入れたのでしょうか。

1219年、チンギス・ハン率いるモンゴル軍は、当時の世界でもっとも豊かな文化圏だとされていた、イスラム社会への侵攻を開始しました。手始めに攻撃されることになったのは、中央アジア西部に位置したホラズム帝国です。

チンギスの目的は、モンゴルからの使者を惨殺したホラズム帝国にしかるべき報復を行なうことでした。ただし、彼の辞書において「報復」とは「敵国をこの世から消し去る」という、実に物騒な意味を持っていたのです。

砂漠を渡ったモンゴル軍が、ホラズム帝国の主要都市ブハラ近郊に姿を現わしたの

ユーラシア大陸に大帝国を築いたチンギス・ハン。
モンゴルの"蒼き狼"の侵攻作戦はすさまじいものだった

は、行軍開始の翌年、１２２０年のこと。そしてこの年のうちに、モンゴル軍はホラズム帝国の主要都市のすべてを陥落させるという恐るべき戦果を得ています。

このとき、チンギス率いるモンゴル軍の主力部隊である騎兵の数は、約10万から12万程度。従軍医師などの技術者を含めても、せいぜい15万程度でした。

そんなモンゴル軍が、武装兵士の数だけでも40万を超えていたとされるホラズム帝国を容易に滅ぼせたのには、**チンギスがパニックに陥った人間の心理について熟知していた**からにほかなりません。

◆「征服者」というよりは「絶対神」——その人心掌握術

モンゴル軍が大都市を攻撃する際には、マニュアルがありました。まず、その周辺の農村を襲って、村や畑を焼き討ちにすることが最初のタスクです。

言葉の通じないモンゴル人の襲来で住処《すみか》を奪われた農民たちは、命からがら城壁で守られている大都市になだれ込んでいきます。やがてモンゴル軍が大都市を取り囲む頃には、避難してきた人々が口々にモンゴル軍の圧倒的な強さと残虐さを語るたびに、恐怖が壁の内側に充満しているというわけです。

といっても、標的の都市を取り囲んだモンゴル軍は、すぐに攻め込むようなことはしません。**大量の避難民によって食料不足が起き、都市住民と避難民たちがいがみ合い、内乱が起きるのを待って攻撃を開始する**のです。

これがチンギス・ハンが好んだ作戦でした。

飢餓と恐怖にさいなまれ、弱った人間の理解力は平時よりも劣っているので、城内に攻め込んだ瞬間、実にシンプルなメッセージを与え、投降を促《うなが》すのでした。

ホラズム帝国で最初に攻略されたブハラでは、捕らえられた支配者層を前に、「もしお前たちが大罪を犯していなければ、（お前たちの）神が罰として、私を送り込むことはなかっただろう」とチンギス・ハンは言い切っています。

ほかに彼の演説として記録されているメッセージには、こんなものもありました。「神が私に、東の果てから西の果てまで、世界じゅうに広がる帝国を与えた。誰であろうと私に従う者の命は助けるが、歯向かう者は妻子も従者もひっくるめて命を奪うことにする」。それを拒もうものなら、「その者たちを殺し、住まう場所を滅ぼす義務をわれわれは負う。これを見聞きしたほかの者が恐れて、同様な過ちを犯さないようにするためである」――**征服者というより、まるで「絶対神」であるかのようにふるまっていた**のです。

✦たった一人でも敵を出した都市は「殲滅される運命」

モンゴル軍への降伏は、モンゴルの言葉で「**親族関係を結ぶ**」と表現されます。そして、モンゴル軍に食物などを与え、その行軍を支えるといった「親族にふさわしいふるまい」ができている限り、決して危害は加えられないのだそうです。

しかし、投降や「親族関係を結ぶ」ことを拒絶すれば、抹殺すべき敵だとみなされ、たった一人でも敵を出してしまった都市はモンゴル軍の手で殲滅《せんめつ》される運命にあります。まず、兵士たちの皆殺しが行なわれ、次に貴族たちが殺しつくされ、その都市の文化の息の根が完全に止められるのです。

都市の略奪が組織的に行なわれると、財宝や人材は根こそぎ運び出されて消えてなくなります。モンゴル軍は、医療関係者や各種職人も連れ去りますが、彼らは男女に関係なく、その知識や技能ゆえに厚遇された生活を送ることができました。

その一方で、無能な庶民たちは殺され、敵がつくった堀を埋める土砂の代わりにされたという話まであるほどです。そして最終的には、都市そのものが更地《さらち》になるまで破壊されてしまうのでした。

近隣の農村も同様です。遠征中のモンゴル人は肉か酪農製品しかほぼ食べないので、異民族の農地などは通行の邪魔でしかなかったのです。

✦無口で口下手な彼が恐れた「唯一の存在」

そんなチンギス・ハンにも、**意外な弱点**がありました。戦時中などの非常時には抜群の存在感を示すものの、平和な時代のリーダーとしては今ひとつ人心に迫り切れず、影が薄いところがあったのです。

本人が、中国人のある道学者に向けた手紙の中で、「私の統治には何か欠けたものがあるかもしれない」と、政治家としての能力不足を認めています。

チンギスはふだんから無口で、口下手でした。彼はその生涯において、何度も泣き叫ぶ姿を目撃されています。これは感情が彼のボキャブラリーを上回ってしまったから起きたことなのでしょう。実のところチンギスは、**立て板に水のように喋《しゃべ》る母親を恐れていました**。それもあってか、彼は言い返すことがうまくできないのです。

チンギスの幼年時代が記された『元朝秘史《げんちょうひし》』という書物によると、1162年、チンギスはモンゴルの名門氏族であるボルジキン一族に生まれました。したがってハンは彼の姓ではなく、モンゴル語で「皇帝」の意味です。

また、彼の幼名は「テムジン」で、チンギスに変えたのは彼がモンゴルを統一した以降のことのようですが、今回は理解しやすさの観点から、少年時代の彼のこともチンギスと呼ぶことにしましょう。

◆「あんたは私の温かい子宮から血の塊を摑んで生まれてきた!」

チンギスの幼少時は不幸の連続でした。はやばやと夫を失って寡婦《かふ》となり、亡夫の親族からも見捨てられた母親のホエルンは、八面六臂《はちめんろっぴ》の活躍をして、5人の子供を養いました。彼らはすべて同じ父親の子たちではありません。それもあってか、仲のよい一家とはとてもいえませんでした。

あるとき、チンギスと弟カサルが、異母兄弟のベクテルを射殺したことがありました。自分たちをいじめたからという理由です。実際に、母・ホエルンからの寵愛をいいことに、ベクテルは好き放題に異母兄弟に対してふるまっていたため、それが原因で暗殺されたのです。

その事実を知ったホエルンはチンギスに向かって、「人殺し! 人殺し! あんたは私の温かい子宮から血の塊《かたまり》を摑んで生まれてきたんだ」といって激怒しました。「子宮から血の塊」という下りは、「お前（＝チンギス）は難産でつらかった。そんな親不孝者が、さらに問題を起こして！」という怒りでしょう。**激高した母親の長広《ちょうこう》舌《ぜつ》にチンギスが反論できたという記録はまったく残されていません。**

〝蒼き狼〟も母親のすさまじい剣幕にたじたじ

また、他人の言葉を疑わないチンギスは、あるとき弟のカサルが謀反《むほん》を企てているという根も葉もない噂を吹き込まれます。すると、すぐに信じ込んでしまったチンギスがカサルを捕縛するという事件が起きました。

これを伝え聞いたホエルンは、白いラクダを夜通し飛ばしてやってきます。老母の剣幕に恐れおののいたチンギスは、微動だにできず、カサルの縄を母親が解いてやるのをただ黙って見ているだけだったそうです。

カサルを救出した母・ホエルンは、チンギスの前にどっかと腰をおろすと、上着の胸をはだけ、シワシワで伸びてしまった乳房をひっぱりだし、「これがあんたの吸った乳房だよ」と言い出しました。さらに、チンギスが弟カサルにした所業を「自分のへその緒に食らいつき、胞衣《えな》（胎盤）を噛みちぎる獣のごとき行ないだ」と非難しつくすのでした。

あまりに独特の表現で解釈が必要ですが、「讒言《ざんげん》を信じ、この私が命がけで産み育てた、罪もない実弟を監禁するとは、まったく獣じみた行ないだよ」というような意味でしょうか。**チンギスはただ母親からいわれるがままに自分の非を認め、弟の名誉も回復させた**のでした。

1208年、生年不詳のホエルンは一説に50代の若さで、もしくは60代で亡くなったそうです。母を失ったチンギスは46歳になっていましたが、まだモンゴル平原を平定しただけで、アジアやイスラム圏への遠征は行なっていませんでした。

もし、ホエルンがもっと長生きし、チンギスの世界帝国樹立の野望を「お前はいつまで夢を見ているんだ。いい加減にしなよ」と説教していたのなら、母親に頭のあがらない彼は、本当に言うことを聞いていたかもしれません。そうすれば多くの犠牲者が出ることもなかったのではないでしょうか。

「インド独立の父」ガンジーは度を超した毒親だった？

「インド独立の父」として知られる**マハトマ・ガンジーの長男・ハリラール**の名を語ることは、父親の偉業を汚す行為として、長年忌避《きひ》され続けてきました。

とくに1935年6月、ガンジーからハリラールに送られたという手紙には、ハリラールが8歳にもならない実の娘・マヌを性的虐待したと糾弾《きゅうだん》され、この内容が世間に流布すると、ハリラールには「不肖《ふしょう》の息子」というレッテルがこびりついて離れなくなったからです。

しかし、2014年、この手紙の現物がイギリスで競売にかけられることを知ったガンジーの曾孫《ひまご》にあたるトゥシャール・ガンジーという男性が、「ハリラールに実の娘をレイプした事実はない」という声明を発表しました。

◆誤解され「名誉が地に落ちたまま」のガンジーの息子

ハリラールは30歳のときに、妻のグラーブを亡くしています。その後も、亡き妻の姉妹との交流は続き、グラーブの妹にあたるクミ・アダラジャという、当時すでに未亡人になっていた女性と再婚しようと考えていました。

ところが、娘のマヌは父の再婚を止めたかったようで、「ハリラールがクミ・アダラジャに対して性的暴力を加え、彼女は医療処置を受けることになった」などとガンジーに言いつけたのです。ガンジーはマヌの一方的な主張をすっかり信じ込み、ハリラールの再婚に反対し、「二人が犯した罪について私に告白しなさい」などと言い出しました。

このせいで、ハリラールの再婚の夢は叶いませんでしたが、こうした複雑でセンセーショナルな内容が、グジャラート語という外国人には馴染みの薄いインドの言語で書かれているため、「ハリラールが実の娘に性的虐待をした」といった誤訳が世界に広まってしまったのだと考えられます。

今も「聖人」として尊敬されるガンジー。
その知られざる“もうひとつの顔”とは——

とはいえ、マハトマ・ガンジーの曾孫のトゥシャール・ガンジーがいかに否定しようが、ハリラール・ガンジーの名誉は現在も地に落ちたままです。

ハリラールは、短気で頑固、そしてあまりに特殊な価値観に支配された激しい父親と何度も衝突し、ボロボロになり、人生の困難さに抵抗する意欲すら失った末に、重度のアルコール依存症に苦しんで亡くなりました。そのためガンジーにとっても、世間のわれわれの目から見ても、彼が「理想の息子」だったということはありえません。

しかし、ハリラールは本当に偉人ガンジーの「やばい息子」なのでしょうか。ハリラールが「やばい息子」なら、**ガンジーは「もっとやばい父親」**であることは間違いないのです。

◆なぜガンジーは「父親になった喜び」を自叙伝に記さなかったか

マハトマ・ガンジーが、長男ハリラールを授かったのは、1888年、彼が19歳のときでした。ガンジーは自叙伝にハリラール誕生の事実だけは記していますが、父親になった喜びについては何も書いていません。

そもそもガンジーは長男の誕生を喜んでなどおらず、その後もハリラールに関する記述はきわめて少ないままです。

ガンジーにとって、あまりに若くして父親になってしまったことは、**性欲過多という自身のもっとも恥ずべき暗部を象徴**しており、ハリラールのことも意識的・無意識的に避けようとしていたことがうかがえます。

それを物語るかのように、ガンジーはわずか生後3カ月のハリラールをインドに残し、イギリスに留学しています。

はじめてハリラールが父のそばで生活できるようになったのは、弁護士資格を得たガンジーがインドに一時帰国したときのこと。ハリラールはすでに8歳でした。同居するようになっても、父親と息子の間の溝は埋まりません。ですが、自分に向き合おうともしない父・ガンジーに不満を抱きながらも、ハリラールは明朗闊達《めいろうかったつ》な青年へと成長していきました。

息子から「イギリス留学」の希望を聞いたガンジーが放ったひと言

1904年、ハリラールはガンジーの同僚弁護士の娘・グラーブと婚約します。これは、ガンジーの意思でした。婚約者のグラーブは、ヒンディー語が意味するとおり、「バラ」のように美しくしとやかな女性で、詩才までありました。

1906年、18歳になったハリラールはグラーブと結婚します。ところが、「自分の子供には30歳になるまで結婚など許さない」と決めていたガンジーは激怒し、彼は勘当されてしまうのです。

しかし、ハリラールはそんな父親の取り扱い方など心得たもので、勘当されているにもかかわらず、ガンジーが当時滞在していた南アフリカ・ヨハネスブルグへ妻と移住し、1907年以降は、父の仕事と政治運動を熱心に助けるようになりました。ハリラールは、この頃だけでも幾度となく投獄され、父親のように抗議の断食までしたので、**「小さなガンジー」**と呼ばれるようになっていました。

次第に彼は父・ガンジーのようにイギリスに留学し、近代的な専門教育を受け、父親の仕事や政治活動を手伝いたいと願うようになります。

しかし、ハリラールには一抹《いちまつ》の不安がありました。彼はすでに19歳なのに、一度も系統だった教育を受けたことがなかったのです。

息子の夢を聞いたガンジーは、驚いたことに猛反対します。普通ならば、親はわが子の高い理想に喜ぶところなのですが、ガンジーは**「お前には肉体労働者になってほしいのだ」**と言い切ったのです。その言葉にハリラールは衝撃を受けました。

◆インドの「古きよき伝統」を息子に押しつけるガンジー

その後、不満を抱きつつも、ハリラールは父親の活動に協力し続けました。そして何度も投獄されるなどの憂《う》き目を見ています。ハリラールにとって父親の存在は、否定したくても否定できない絶対的な正義だったのでしょう。哀れなことです。

しかし、22歳のハリラールにとって、絶対に許しがたい事件が起きました。

ガンジーのイギリス時代の弁護士仲間で、ロンドン在住のプラーナ・ジーワン・メタ博士が、「ハリラールはもう大きくなったのだから、彼と一緒に誰か有望な少年を私のところへ送ってください。私が彼らを弁護士に仕立てましょう」とハリラールにイギリス留学を勧める手紙を送ってくれたのです。

メタ博士としては、ガンジーが長男かわいさに手元から離そうとしないと誤解していたのかもしれません。本当のところは、**ガンジーは大いなる保守主義者で、インドの古きよき伝統こそが絶対の正義であり、インド人がイギリスに留学してまで西洋風の近代教育を受ける必要はないと思い込んでいた**のです。

自身はイギリス留学を経験しているのに、あるいはそれだからこそ、西洋の高等教育の否定派となったガンジーは、ハリラールが獄中にいることを幸いに、パーシーという青年と、遠縁にあたるチャガンラールという男性をロンドンに送ってしまいました。

ハリラールが出獄したときに、誰もガンジーの決断を彼に伝えなかったようですが、それでもハリラールは自分より成績の悪かった者たちを父親がなぜか優遇し、イギリスに留学させていた事実を知ってしまいます。

父親の所業に激怒し、失望したハリラールは、ついにガンジーとは異なる道を歩むことを誓って、1911年5月にインドに帰国していきました。

✦父・ガンジーとの縁を切って――

それからのハリラールは、夜間学校に通ってでも高校卒業の資格を取りたいと、妻を実家に預けて猛勉強します。

しかし、そこにも、ガンジーは手紙で介入してくるのです。

「妻を実家に預け、夫としての務めも果たさないでいいものか？」

「フランス語ごときに暇と金をかけるくらいならサンスクリットを学びなさい」

……しかし、何年勉強しても、幼少期からまるで学校に通えず、教育を与えられていないハリラールにとって、大学検定試験は難関で、合格はできないままでした。

それでもハリラールは前向きさを失わずにカルカッタで暮らし続け、1915年頃にはそれなりに高給取りのビジネスマンに成長していました。

ところが、当時4人の子供たちと専業主婦の妻を養う身として、さらなる高給を得ようと、自分で商売を始めたのが運の尽きでした。大失敗し、高利貸したちを相手に莫大な借金を背負ってしまったのです。

窮地に陥ったハリラールに対し、ガンジーは「私の息子には違いないが、彼は別の道を行く者で、私とは何の関係もない」と突き放すだけでした。

1918年、愛妻のグラーブが亡くなると、ハリラールは失意のあまり、酒量が急増し、年齢を重ねるごとに奇行が目立つようになります。1936年5月には、ヒンドゥー教を捨ててイスラム教徒に改宗しました（6カ月後にはヒンドゥー教徒に戻りましたが……）。

長年の迷走の末の1948年、ハリラールは60歳でボンベイのセウリ結核病院にて亡くなりました。ハリラールの息子のカンティは医学部に在学中であったがゆえに駆けつけられませんでしたが、娘のラミとマヌに最期を看取られての死でした。

ガンジーはハリラールには絶対に許さなかった高等教育機関への進学を、孫たちには許していたそうです。

「臆病な者は愛を表明することができない。愛を表明するとは勇敢さの現われである」――これはガンジーの名言ですが、ハリラールは彼の生涯のある時期まで、父親への愛を表明し続けていました。しかし、その愛にガンジーが振り返ることは絶対になかったのです。

「奴隷解放宣言」はリンカーンの選挙戦略にすぎなかった!?

後に合衆国の第3代大統領となるトマス・ジェファーソンが1776年に起草した**「アメリカ独立宣言」**には、**「すべての人間は生まれながらにして平等である」**という先進的な一文が輝き、新国家アメリカの理想が示されていました。

イギリスの一植民地にすぎなかったアメリカは1783年、ついに独立を勝ち取ります。「アメリカ独立戦争」が始まってから、8年が過ぎていました。アメリカ合衆国の誕生です。

しかし……すべての人間が平等だと宣言されたアメリカにおいて、自身の行動でもそれを証明できていた大統領は、1860年に当選した**エイブラハム・リンカーン（第16代）**以前には、ジョン・アダムズ（第2代）と、その息子のジョン・クインシー・アダムズ（第6代）の二人がいただけ。残りは奴隷所有者ばかりで、人間の平等を謳《うた》い上げた「アメリカ独立宣言」を起草したジェファーソンまでが、実は大奴隷主だったことがよく知られています。

◆アメリカの良識派たちの「本音」と「建て前」

イギリスでさえ、1838年に最後の奴隷を解放しているというのに、自由と平等を謳っているアメリカ、その南部では19世紀半ばになっても黒人を奴隷として使役し、強制労働に従事させる奴隷制が全盛期を迎えていました。そのため、良識派の白人たちは独特の**「居心地の悪い状態」**に悩まされていたといいます。

この「居心地の悪い状態」とは、奴隷制撤廃を叫んだリンカーンが用いた言葉です。建国時から「アメリカは自由と平等を重んじている」といいながら、アメリカの上流階級が黒人奴隷を使役する現実を黙認している。そういう矛盾ゆえの「居心地の悪さ」なのですが、アメリカには奴隷制が必要とされる必然的な「理由」がありました。

アメリカには、特有の土地事情があったのです。

第16代アメリカ大統領リンカーン。
「奴隷解放の父」と呼ばれているが、その実体は――?

カール・マルクスが『資本論』で主張しているように、「(アメリカのような)人口が少ない地方で土地が豊かであれば、土地所有者になりたい者は誰でも土地所有者になれる。そして土地が安いということは賃労働が少ない原因である。(略)それればかりかどんなに値段を弾んでも雇用労働は得にくくなる」という言葉どおりなのですが、これがアメリカの現実なのでした。

つまり、広大な農場には往年のアメリカのテレビドラマ『大草原の小さな家』のように、その経営者と家族だけがいて、自分の土地を自分で耕す以外に、誰の労働力もあてにはできないため、農業労働者として黒人奴隷が必要となった……そのような認識が、1858年に上院議員に立候補したリンカーンの世代にも受け継がれていたのです。

もちろん、リンカーンが就任する以前の第2代・第6代のアダムズ父子以外の大統領（初代ジョージ・ワシントンから第15代ジェームズ・ブキャナンに至るまで）に代表されるアメリカの上流階級の人々も、**「自由と平等を謳いながら奴隷を使役する自分たちの矛盾」**を感じなかったわけではありません。

多くの人々は「奴隷制はアメリカの発展にとっては必要悪で、時がくれば、自然に廃《すた》れてなくなるはずだ」とノンキに考えていたようですが、19世紀半ばになってもアメリカにおける奴隷は自然消滅などしないままでした。

それどころか合法化され、一段と上流階級が儲かるような形で奴隷たちは働かされるようになっていたのでした。

大統領に当選、そして「南北戦争」が勃発！

この社会の矛盾に切り込んだのがリンカーンです。大統領選の際、彼のライバルであるスティーヴン・ダグラス候補は奴隷制を必要悪として認め続けるという立場をとっていました。

それに対してリンカーンは、「(国の中が)半ば奴隷、半ば自由の状態で、この国家が永く続くことはできない」と述べ、「(奴隷制を撤廃した)われわれの後を継ぐ自由で幸福な大勢の人々が世界じゅうで育ち、われわれを祝福するだろう」と主張しました。

つまり、**誰かに強いられ、強制労働をこなすだけの奴隷より、自分の意思で働ける自由民が増えたほうが、アメリカの国力も上げられるはずだ**と訴えると、理想主義者たちの支持を集め、ついにリンカーンはアメリカ大統領の座を勝ち取りました。

ところが、農業だけでなく、すでに工業も根づきつつあったアメリカ北部に対し、いまだ農業中心の南部には奴隷制の支持者が根強く存在しました。

1860年11月、リンカーンが大統領に選出されると、南部の11の「奴隷州」が合衆国連邦からの離脱を宣言しました。同年4月、北部と南部には奴隷制を争点とした内戦、いわゆる「**南北戦争**」が勃発します。

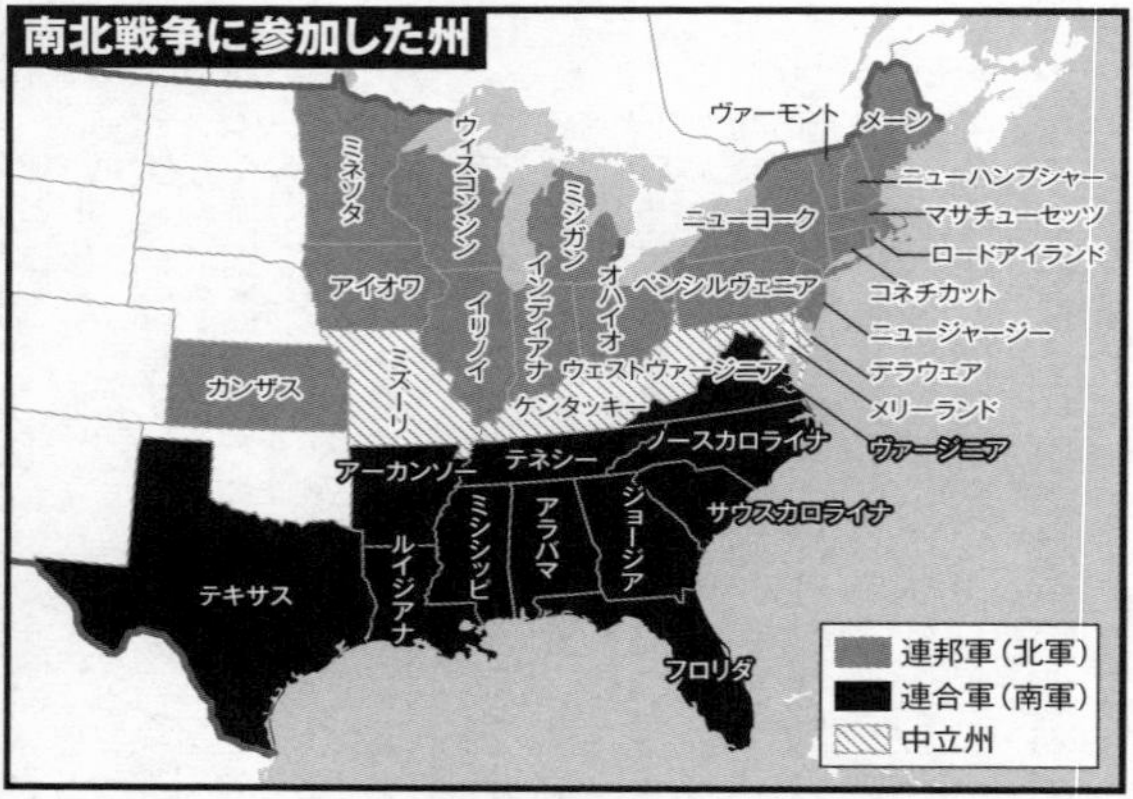

南部の「奴隷州」が合衆国連邦からの離脱を宣言し、南北戦争が勃発。州境は現在のもの

リンカーンの驚くべき「二枚舌」とは？

これは黒人奴隷制度の是非をめぐっての戦いだったはずなのですが、リンカーンはきわめて興味深い言動を見せました。

「この戦争における私の至上の目的は（合衆国）連邦を救うことにある。奴隷制を救うことでもなければ、廃止することでもない」

奴隷制の問題じゃなかったの!?　と、リンカーンの二枚舌ぶりには驚かされますが、さらにこうもいっています。

「奴隷を一人も自由にせずに連邦を救うこ

とができるのであれば、私はそうするだろう。（略）一部の奴隷を自由にし、他の奴隷はそのままにしておくことができるならば、私はそうもするだろう」

多少、ぼかしてはいますが、「南軍と戦って、北軍が捕虜にした黒人奴隷は、その者の意思に関係なく、戦場で奴隷奉公させても構わない」と、リンカーンその人が、軍の関係者に仄《ほの》めかしていたわけです。

「独立宣言」どおり、本当にリンカーンが「すべての人間は生まれながらにして平等である」と考えていたのなら、いくら切羽詰まった状態であったとしても、捕虜にした南部軍の元奴隷を、彼らの意思に関係なく、北部軍の戦闘用奴隷にしても許されるという発想は出てこなかったはずです。

幸いにして、南部で捕虜となった多くの黒人奴隷たちが自ら志願し、北軍の兵士として戦うことを選んでくれました。次第に数の有利さから、じりじりと北軍が優勢となっていったのです。

リンカーンは、南部がここまで反撃してくるとは想定してもおらず、「せいぜい二個連隊か三個連隊も（軍隊を）送れば十分だろう」と楽観視していました。ですが、蓋《ふた》を開ければ、内戦の勃発から4年も経って、ようやく北部は勝利にこぎつけるという激戦になってしまったのです。

リンカーンは、南北戦争というアメリカ史上空前の内戦を勝ち抜き、奴隷制の解放を膨大な死傷者と引き換えに実現しました。

しかし、この犠牲と成功の物語は、かつてわれわれが教科書で読み、イメージしたほどのハッピーエンドではなく、**「奴隷解放はリンカーンが対立候補に体《てい》よく勝ち、大統領としての地位を安泰にするためのスローガンにすぎなかった……」**といえるかもしれません。

南北戦争の成果を客観的に総括すれば、奴隷という身分がアメリカから公的になくなったのは事実ですが、白人による元黒人奴隷の搾取はすぐに復活し、農場においては奴隷制の時代と変わらない労働が続行されたのです。

解放奴隷たちの本質的な待遇改善は、リンカーンによる1863年の奴隷解放宣言から、約100年後、1950年代の公民権運動の開始まで、ほとんど手つかずのままでした。

偉大なる指導者か、史上最悪の独裁者か――毛沢東の真実

中国共産党の「英雄的指導者」として、今なお賛美されている毛沢東《もうたくとう》。1949年の中華人民共和国の成立後は56歳にして最高権力者の座にのぼりつめ、その後は30年近くも地位を保持し続けた人物です。20世紀後半、赤い小冊子にまとめられた彼の『毛主席語録』は世界じゅうで翻訳され、青少年に大きな影響を与えました。インテリであることと、革命家であることが同一視される時代の空気をつくったのも毛沢東だといえるでしょう。

1893年、中国南部の湖南《こなん》省で、農家の三男として生まれた毛沢東は、少年時代から読書をたいへんに好んだといいます。故郷を出た後も働きながら学び、学問としての道徳、つまり「修身」に注力したこともありました。しかし、後年の毛沢東は、「史上最大の殺人者」という不名誉な記録の保持者となりはてました。

人民元に印刷された毛沢東主席。
「英雄的指導者」として今なお賛美されている

ブレジンスキーという政治学者によると、ドイツのヒトラーが1700万人、政敵を次々に粛清《しゅくせい》していったソ連のスターリンが2500万人という殺人記録の保持者なのですが、実に彼らの何倍にも及ぶ人命を奪ったのが毛沢東だったのです。

最終的にヒトラーはみじめな自害へと追いやられ、スターリンは死後、歴史によって裁かれています。しかし、毛沢東だけは「優に5000万人に上る自国の民の死の責任を負っている」にもかかわらず、生前はおろか死後も今日にいたるまで、**「功績七部、誤り三部」の英雄**として中国国内では評価され続け、彼の肖像画は天安門広場に掲げられたままなのです。

核戦争で人口が半分死んでも恐るるに足りない──

毛沢東の「沢東」という名前は、「東方の塗り薬」を意味したそうですが、彼こそ中国史上最悪の「毒薬」だったといえるかもしれません。おのれが信じる理想のためには、多大な犠牲など考慮すらしない毛沢東の思考回路は独特にして異常でした。

「核戦争は何ら恐るるに足りない、全世界の人口は20数億人もいる、半分死んでもまだ半分残る、たとえ3分の1しか残らなくても（略）資本主義を全部消滅させることになれば何の差し障りがあろうか」

といった趣旨《しゅし》の発言を、毛沢東は仲間内だけでなく、「インドのネルー首相にも、モスクワでの共産党や労働党の集会でも」続けたそうです。もはや「失言」という言葉でカバーできるような話ではなく、認識自体が狂っているとしか考えようがありません。

いつから毛沢東は、そのような異常な思考回路を持つようになったのでしょうか。

◆「偉大なる指導者」の「お粗末すぎる指導」

1934年、当時41歳だった毛沢東は**宿命のライバル・蔣介石**《しょうかいせき》との戦いの中で9万人いた支持者に1年にも及ぶムチャな逃走を行なわせ、その数を10分の1にまで減らしています。これが中国政府が今なお、偉業視している**「長征」**《ちょうせい》の実情です。

第二次世界大戦後の1949年、毛沢東は、北京の天安門広場で**中華人民共和国の成立**を、高らかに宣言しました。彼が56歳のときのことです。台湾に政敵・蔣介石とその支持者たちを追いやることに成功したという、政治的な勝利宣言でもありました。

その後、毛沢東による恐怖政治は27年間にも及ぶことになりました。しかし、「わが国の未来は限りなく明るい！」などといいながら「偉大なる指導者」として彼がやってのけたことは、その真逆だったのです。

1958年から、毛沢東の「指導」のもと、**「未来に向けての大躍進」なる農業改革**が行なわれます。スズメが穀物を食べるとして撲滅《ぼくめつ》を試み、スズメを天敵とするバッタが増えて水田が壊滅したり、農業改革の根本である技術改新がお粗末でしたから、いくら働いたところで、成果はまったく上がらずじまいだったのです。

とはいえ、成果がなかったと報告すれば、毛沢東から粛清されることは明白で、地方の指導者たちは「毛主席のアドバイスどおりにやったので、生産高が激増しました！」などと水増しデータを添えた虚偽報告を繰り返しました。

気をよくした毛沢東は、それだけ地方も豊かになったのだから払えるだろうと徴税を強化し、その結果、歴史上最凶の食糧難が起きました。これにより、2000万〜3000万人、あるいはそれ以上にも及ぶ人命が餓死で失われてしまったのです。

◆「敵対者を根絶する才覚」はピカイチ

普通に国家が機能していれば、毛沢東はこれで失脚するはずです。しかし、彼は若い頃から、自分の敵対者を根絶する技術に長《た》けていました。「大躍進」の前年、つまり1957年には**「反右派闘争」と名づけた反体制狩りの運動**も行なっており、国内に毛沢東の権威に抵抗できる人材は本当に一人も生き残っていなかったのです！

肥大する一方の自意識同様、毛沢東の身体も肥満していきました。豚の内臓、とくに脂身を大量に使った料理に目がなく、しかも大量に食べるからです。

それにもかかわらず、既往症などはほとんどなかったため、1956年、62歳にして揚子江《ようすこう》を泳いでわたる離れ業を見せるなど、常人離れしたパフォーマンスを続けることができました。周囲から神格化された存在として扱われるうちに、いつしか、自分を本当の「神」だと思い込んでしまったのかもしれません。

✦「文化大革命」という名の文化・伝統の抹殺

1966年、毛沢東は「プロレタリア文化大革命」なる計画を開始しました。その後、1977年に終結宣言が出されるまで10年以上も続いた「革命」では、かつての中国で指導的な立場にあった人々に徹底的な迫害が加えられ、伝統芸能などにかかわった人々まで迫害されました。中国全土で、この時期だけでも最低でも1000万人もの人が殺された、もしくは自殺に追い込まれたと考えられています。

しかし、もっとも恐ろしく感じられるのは「思想・文化・風俗・習慣面での四旧の打破と四新の創造」……つまり、中国の伝統的な知的財産や、建築物を破壊しつくせ（そして新しくつくり直せ）という彼の絶対命令でした。

伝統ある寺院なども打ち壊しの対象となりましたし、孔子の墓も暴かれました。数千年間続いてきた、中華という国家の伝統を抹殺し、共産主義国家として再び蘇らせようと毛沢東は考えていたでしょう。

自国の文化や歴史を誇りに思わない独裁者という、毛沢東はこれまでの歴史の中で誰一人としていなかった思考の持ち主でした。壮絶なまでの「奇人」です。

なぜ、晩年は紫禁城にこもり沈黙を続けたのか？

そんな中、かつて明《みん》朝、清《しん》朝の皇帝たちが住んでいた北京の**紫禁城**《しきんじょう》は、幸運にして破壊を免《まぬが》れました。ここに毛沢東が住むようになっていたからです。

ところがある時期から、紫禁城の西側にある「中南海《ちゅうなんかい》」と呼ばれる一帯に、毛沢東は引きこもってしまうようになります。１９６１年以降にはとくに自分の殻に閉じこもり、たまに公の場に出ても政治的な対話すらしようとせず、ほぼ沈黙していたので、

「神格化」に拍車がかかりました。

公式には認められていないままですが、**中高年以降の毛沢東は、神経性の難病に苦しんでいた**ともいわれます。昔はあれだけ雄弁だったのに、晩年のある時期から喋ろうとしなくなったのも、動作を緩慢にしてしまう病のせいで、うまく喋れなかったことを隠そうとしていたのかもしれません。

動けなくなる一方の毛沢東の代わりに、すでに1960年代には別居し、事実上の離婚もしていたはずの**元女優の妻・江青《こうせい》**が権力の中枢に舞い戻って、張春橋《ちょうしゅんきょう》といわゆる「**四人組**」を結成、多数の人々を冤罪《えんざい》に陥れ、処刑するなどやりたい放題だったので、すさまじい政治的な大混乱が起きました。

1976年6月、神経性の持病のほかに老衰も加わり、ついに昏睡状態の一歩手前に陥った毛沢東の姿を見た共産党幹部たちは「毛主席は元気だが、仕事で多忙なので、会談のたぐいは一切企画されない」という趣旨の声明を国内外に発表しました。その「元気で多忙」だったはずの毛沢東が絶命したのが、それから3カ月後の9月9日のこと。82歳でした。

毛沢東主席が眠る「毛主席紀念堂」。
水晶の棺に入った遺体は、今も見ることができるという

◆水晶のお棺に入れられ「毛沢東主席は永遠に朽ちない」

毛沢東の死は9月9日の零時すぎでしたが、その16時間後にはラジオで死亡通知が国民になされています。その16時間のうちに、毛沢東の遺体は彼が尊敬していた、ソヴィエト革命の闘士・レーニンのマネをして、完璧な防腐処置が施されていました。

無宗教の弔問式が行なわれ、初日だけで5万もの人々が訪れたそうです。

その後、毛沢東の遺体は北京の天安門広場にある**「毛主席紀念堂」**に移されました。

水晶のお棺に入れられた毛沢東の遺体は、

現在でも見ることができます。そして、建物の白大理石の壁には「**偉大な領袖《りょうしゅう》にして偉大な導師である毛沢東主席は永遠に朽ちない**」という金文字が刻まれています。

一方、**文化大革命関連の記録資料は、中国政府によって今なお厳重に封印され続けており**、それは「毛沢東が（そういった）大虐殺事件に対して具体的にどのような指示を与えていたのか、我々が知るすべがない」ままであることを意味しているのでした（宋永毅編『毛沢東の文革大虐殺』原書房）。

3章

あの事件、戦いの「真相」を暴く

……理想、理念の陰にあるどす黒い欲望

「アヘン戦争」は清朝高官の〝お粗末な外交〟が原因だった？

「イギリスは歴史の時間にアヘン戦争について教えない」と聞いたことはありませんか？　**実際は、そういうわけでもないようですが、**日本で翻訳、発売されたイギリスの中学校の歴史教科書『イギリスの歴史【帝国の衝撃】』（明石書店）には、本当にアヘン戦争の記述はありませんでした。

１８４０年に勃発したこの戦争は、**アジアにおける近代史の始まり**と見なされてきました。同時に、「大英帝国」ことイギリスが、富の獲得という目的のためには、いかに手段を選ばなかったかを示す好例だと考える人もいるでしょう。

「イギリスは金儲けのために、中国にアヘン（大麻）を売りつけようとしたが、抵抗されたので戦争をふっかけ、ボコボコにしたあげくに、中国から香港島《ホンコン》を割譲させて

アジアにおける近代史の始まりとされるアヘン戦争。
知れば知るほど「人間の醜悪な面」に気づかされる

植民地化した」などとまとめると、悪役はイギリスに決定してしまいます。

しかし、この当時の中国＝清《しん》朝政府の対応も現代人の目から見ると、正気を疑うようなものが大半なのです。おまけに**アヘン戦争においては、イギリスと中国の陰にうまく隠れたアメリカが暗躍**しており、この戦争を詳しく知ることは、人間の醜悪な面を直視することに等しいのでした。

貿易をしたいイギリスと、したくない中国

昔からイギリスは、中国との貿易拡大を試みては断られることを繰り返していまし

た。18世紀末にも、イギリス国王ジョージ3世の派遣したマッカートニー卿が避暑中の皇帝に直訴しようと万里の長城を越え、熱河《ねっか》（現在の河北省東北部の承徳市《しょうとく》）にあった離宮を訪れました。

しかし、乾隆帝《けんりゅうてい》からは「ああ汝《なんじ》、英国王よ、天朝（中国）は物産が豊富でないものはなく、外国と盛大に貿易しなくてはならない道理がないのだ」と、言葉は丁寧ですが、はっきり「押し売りお断り」と追い返されてしまっています。

それでも、当時のイギリスでは空前の**紅茶ブーム**が起こっており、日常的に紅茶を飲むようになっていましたから、どうしても大量の茶葉が必要でした。そこで、中国産の茶葉と自国製品の物々交換を持ちかけようとしたのです。

しかし、この頃のイギリスの主要輸出物は毛織物でした。これが中国人には不人気で、彼らは精密な時計や望遠鏡などに多少の興味を示しましたが、これら近代ヨーロッパの科学技術の精髄《せいずい》といえる品物にも、すぐに関心を失っていきました。そのため、イギリスは希望している物々交換が叶わず、茶葉の代金を銀貨で支払うしかなくなってしまったのです。

当時の中国社会は**銀本位制**で、銀が99％以上きちんと含まれているのであれば、外国産の銀貨であったところでも問題なく使用することができ、むしろ歓迎されたのでした。

こうして、イギリスは泣く泣く、メキシコ・ドルやスペイン・ドルを積んで中国の貿易の窓口である広州《こうしゅう》に押しかけ、大量の茶葉を積んでは本国に戻ることを繰り返しました。

しかし、19世紀を迎え、状況が変わります。

思わぬ「大ヒット商品」を見つけたイギリス

1805年、イギリスはインドの大部分を支配していたマラーター同盟との第2次マラーター戦争に勝利したことで、インド支配の目処《めど》が立つようになりました。

ところが、ベンガル総督府（後のインド総督府）は深刻な財政難に陥っており、今、ここで反乱でも起こされれば、支配自体が覆《くつがえ》されかねない……。しかし、立て直すお金がない……。焦ったイギリスは、再び中国の重い扉を叩くことにします。

このとき、イギリス人商人が何気なく持ち込んだ商品の中に、**インド産のアヘンが**

含まれていて、これが思わぬ大ヒット商品となりました。後に、イギリスの総収入の2割が中国へのアヘン販売によるものとなったほどです。

そもそもヨーロッパ同様、中国においても長い間、アヘンは薬の一種として認識されていたようです。明《みん》代に書かれた薬学書『本草綱目《ほんぞうこうもく》』では、「前代罕聞、近方有用者（昔は稀《まれ》にしか使われなかったが、最近はよく用いられる）」と述べられています。アヘンは中毒性が高い薬物ですが、鎮痛剤として優秀でした。しかし病気が治っても依存症が残るケースが多かったのでしょう。当時も、依存性が危険視されていたので、アヘンは輸入時に関税をかけられ、在庫は厳格に管理されていました。

アヘン需要が中国社会に高まったのは、清代に入ってからで、政府の監視の目をかいくぐり、嗜好品として庶民の間に急速に愛好者を増やしていきました。このため、イギリス人商人が持ち込んだインド産のアヘンは大いに中国人から歓迎されたのです。

一方、この密貿易のせいで、すさまじい数のアヘン患者が中国じゅうに溢《あふ》れかえったのですが、当時の清朝政府の高官たちは、アヘン中毒者の増加よりも密貿易で中国国内の銀が使われ、海外への銀の流出が深刻化していることに頭を痛めました。

数十万の民がアヘンを吸って命を落としてしまうことではなく、中毒になって働かなくなることで、納税額が減って、彼ら上流階級の贅沢な生活が危うくなるという点のほうが、政府内では問題視されていたのです。

増え続ける「アヘン中毒者」に清朝政府がとった行動とは

この状況に危機を感じた清朝政府では、様々な「アヘン厳禁論」が登場します。

なかでも、**政治家・黄爵滋《こうしゃくじ》**による提案はもっとも過激でした。

「従来の法ではアヘン中毒者への罰は、手枷《てかせ》をはめたり、杖で叩くだけだからダメなのだ。衆人環視の中、中毒者を棹《さお》に縛りつけ、大砲に球のようにつめて海に撃ち落とせば誰もアヘンに手出ししなくなるだろう」……。

驚くべき内容ですが、この提案を聞いた道光帝《どうこうてい》は感動し、エリート・**林則徐《りんそくじょ》**を欽差《きんさ》大臣（皇帝から臨時に権限を与えられて重大事件を処理する大臣）として選び、広州

アヘンの密輸に大なたをふるった林則徐。しかし、それが「アヘン戦争」開戦の口実にされた

に派遣します。

「アヘン中毒者全員処刑なら、数十万人は殺さなければならない」という現実主義者の反論も皇帝のもとには届きましたが、アヘン廃絶に血道をあげている道光帝は、まったく聞く耳を持ちません。

周囲の高官も皇帝を怒らせることだけは避けたいので、ハレモノに触るような態度をとっているあいだに、林則徐は広州において次々とアヘン処分に取りかかります。

林則徐は外国人商人に対して、**「アヘンを持ち込めば処刑になっても文句はいわない」という契約書**まで書かせました。ところが、外国人商人たちは「これは賄賂《わいろ》の額を跳ね上げろという意味だな」程度の認識しかなく、深刻な衝突が起き始めます。

ある商人がアヘン1037箱を清側に差し出し、ことをおさめようとしたところ、林則徐はこの提案をハネつけました。彼の目的はアヘン船内のアヘンすべてを差し押さえることだったからです。

清代の広州には、通称・**広東十三行**《かんとんじゅうさんこう》と呼ばれる商人の団体があり、外国貿易に特化したイギリス、アメリカの会社が数十社ほど置かれていました。

実は、イギリス人だけでなく、アメリカ人——後の**フランクリン・デラノ・ルーズベルト米大統領**（第32代）にとっては母方の祖父にあたる人物なども、「自分はイギリス人だ」と中国人に嘘をつき、アヘン貿易を取り仕切っていました。彼らは倉庫代わりの巨大なアヘン船を現在の香港と虎門《こもん》の間に浮かべ、1年中活発な取引を行なったのです。

こうして1839年4月11日から始められたアヘン船からの押収作業は5月18日までかかり、集めたアヘンは総計1425トンにもなったそうです。

林則徐は、これらのアヘンを焼却しようと試みたものの、燃やしても有毒成分は完全に消滅しないことが判明します。そこで塩水を貯めた池にアヘンを半日漬け置き、焼き石灰を入れて攪拌《かくはん》、分解し、最終的にはその溶液を海中に流すという気の遠くなるような作業が始まりました。

"おかしな発言"をするイギリスに絡まれて……

この事態を知ったイギリスの政治家たちは、アヘン商人と癒着している人がほとんどですから、「これはイギリス国民および、その財産に加えられた無法の圧迫だ」などと叫び出します。そして、「フェアトレードの原則が守られていない」ことを理由に、中国に対する宣戦布告が行なわれることになります。

しかし、この主張はめちゃくちゃです。何を正当な貿易品と認めるかはその国の判断であり、それに委《ゆだ》ねられるべき事柄ですから、外国が武力干渉してよいわけがありません。

とはいえ、いったん戦争が始まり、近代技術の粋《すい》を集めた兵器を有するイギリス軍に攻め立てられると、旧態依然の清朝軍などひとたまりもありませんでした。もともと**海外と通商しないというのは、清朝には外交が存在しないのと同義**であり、他国との戦争も想定されていないのです。

おまけに「異民族」満州人の王朝であった清に反感を抱いている漢民族たちが、イギリス人の手下となって行動したので、アヘン戦争は清側の記録的大敗として終わりました。

「国を満人に授けるよりは、西人（イギリス人）に与えたほうがマシだ」と清代の学者・龔自珍《きょうじちん》は語ったようですが、タテマエだけでも多民族による共栄国家だった清帝国に、大きな亀裂が入ったままだったことが判明した瞬間でした。

◆正義の味方ヅラして悪行三昧――アメリカの所業とは

この戦争において、もっとも恐ろしいのがアメリカの所業でした。アヘン戦争に道義などないことがわかっていても、富のために悪行を繰り返したイギリスが開き直った確信犯なのに対し、アメリカは正義の味方ヅラをして悪行三昧《ざんまい》なのです。

1842年3月、アメリカ海軍の**ローレンス・カーニー提督《ていとく》**が、東インド艦隊を率いて広州に到着、中国人の保護とアメリカ商人によるアヘン貿易防止を訴え、「アメリカ人商人のアヘン販売を禁止するために来た」という中国語のビラをばらまきました。

カーニー提督一行は**「アメリカにも悪徳商人はいるが、アメリカという国は中国のみなさんの味方だ」**などと主張を連ねます。しかし、実態は真逆も真逆。アヘン戦争の戦中・戦後でイギリスからのアヘン供給量が激減しているところを狙って、アメリカ商人たちが中国国内の数十万ものアヘン中毒者にアヘンを効率的に売りつけられるよう、国をあげて商人たちの手助けをしていたのです！

これはカーニー提督自身が海軍省に提出したレポートからも明らかで、当時の世界に正義など、いかなる意味でも存在していなかったのでした。そんな彼らの見せかけの善意に騙《だま》された中国人の「アメリカびいき」は20世紀半ばまで続いたそうです。

中国人上層部＝満州民族にとって、庶民＝漢民族は「他者」にほかならず、イギリス人やアメリカ人にとって、中国人といったアジア系は「他者」です。「他者」からはいくらでも奪い取ればよい……そういう弱肉強食の論理がアヘン戦争のすべての側面で見られ、明らかにされる人間の暗部には暗澹《あんたん》たる気分になります。

怪しすぎる秘密結社「黒手組」が第一次世界大戦を引き起こした？

「ヨーロッパの火薬庫」――これは20世紀はじめのバルカン半島の異名です。

当時のバルカン半島は、オスマン帝国（13世紀末から20世紀初頭まで存在したイスラム教スンナ派の大帝国）の支配力の衰退に、バルカン諸民族の独立要求の高まりやロシアやドイツなど帝国主義列強の利害が複雑に絡まり、一触即発の状態だったのです。

そんなバルカン半島西部のセルビア王国に、新王国実現の野望を持った一人の軍人がいました。「オスマン帝国の支配から脱し、セルビア王国を中心にバルカン諸国を併合、当地に暮らすスラヴ系民族のための共栄圏をつくりたい」――そんな無謀な夢を抱いたのが、軍人のドラグーティン・ディミトリイェヴィチ、暗号名**「アピス」**。

彼が頭角を現わしたのは、**セルビア国王夫妻の暗殺テロ事件**のときでした。

20世紀初頭のバルカン半島は「ヨーロッパの火薬庫」と呼ばれた

✦クーデターの首謀者・アピスの持つ「三つの顔」

1900年8月5日、当時のセルビア国王アレクサンダル1世ことアレクサンダル・オブレノヴィチは、かつて王妃つきの女官だったドラガ・マシーンとの再婚を強行し、国民からの信頼を失ってしまいました。

あるとき、注目を浴びたくなったドラガは自分が懐妊したという虚報を国王に出させ、数カ月後にはそれを取り消させています。

狂信的なまでの愛国心を抱くアピス中尉（当時）らは、スキャンダルまみれで軽薄なドラガと、彼女の尻に敷かれたままの国王の言動に「王国の威信を失墜させた」と憤激、国王夫妻の暗殺計画を軍部主導で発動させるのでした。

1903年6月10日から翌日にかけてのクーデターにおいて、アピスは重傷を負いますが、国王夫妻の暗殺には成功、前国王の遠縁にあたるペータル・カラジョルジェヴィチがセルビアに呼び戻され、ペータル1世として即位しています。

当初、新国王はアピスたちクーデター首謀者を何らかの方法で罰するつもりでした。しかし、国民からの彼らの人気があまりにも高いがゆえに忖度《そんたく》せざるをえず、回復後のアピスは罰せられるどころか、大尉に昇進しています。

アピスは、セルビア軍全体に絶大な影響力を持つだけでなく、新国王のもとでは情報局長官という高い地位も得て、宮廷にまで食い込むことに成功しました。

アピスは人心をたぶらかす天才で、当初は警戒していたペータル王でさえいつしか彼に籠絡《ろうらく》されてしまい、1908年には子息・ジョルジェ公のヨーロッパ旅行の同行者としてアピスを選んでいます。ジョルジェ公いわく、「(アピスは)コーヒーと歌と女を愛し、この旅では私たちをたくさんの娯楽の場に連れていった」。

己の信じる正義のためには暗殺をも辞さない過激主義者であると同時に、人好きのする陽気な一面も備えた彼には、さらにもうひとつ、**裏の顔**がありました。陸軍将校たちで構成された「黒手組」という政治的秘密結社の上層部として君臨していたのです。

◆「黒手組」の組員になるための儀式

後年のアピスは「黒手組」の正式組員になるためには「霊的で複雑」な儀式が必要だったと明かしています。それは次のような不気味なものでした。

まず組員志願者は、身元保証人の組員につき従われ、指定の部屋に入室します。黒い布の敷かれたテーブルには十字架、短刀、ピストルがまるで「神器」のように置かれており、ロウソクの光だけが照らしだす中、黒いローブと頭巾《ずきん》ですっぽり身を隠した男が現われます。

そこで、保証人と組員志願者は、この影のような組織の代表者に向かって、誓いの言葉を一語も間違えず、宣言せねばなりません。すべてが終わると、保証人と志願者は抱擁しあい、それを見届けた黒衣の代表者はひと言も発することなく、その場を去っていくのでした。

晴れて組員となった者には登録番号が与えられます。その後は名前ではなく、この登録番号によってすべて管理され、何か不都合があれば、尻尾切りしやすいようにわずか3人1組の小班で活動させられるのでした。同じ班の二人以外、ほかに誰が組員なのか、組織のトップは誰なのか、何もわかりません。命令などは、髑髏《どくろ》の旗《はた》を握《にぎ》る手が描かれた特別な用紙に書かれて送られてくるだけでした。

こうしてアピスたち「黒手組」上層部は、自分たちの手足のように動き、汚れ仕事を引き受ける組員たちに助けられ、1912年から14年の間だけで、120名もの男女の暗殺に成功したそうです。

アピスたちの野望――セルビアを中心に、バルカン半島にスラヴ系民族のための巨大国家を打ち立てること（いわゆる**「大セルビア主義」**）に表だって反対している者は身分、立場を問わず皆殺しにされました。

しかし、アピスが「黒手組」の全知全能の神として、酔いしれることができたのはほんの短期間のことでした。テロの犠牲者のリストに、ハプスブルク家の「帝位継承者」**フランツ・フェルディナント大公**という超大物が含まれてしまったからです。

✦アピス心酔者が起こした「サラエヴォ事件」

1914年6月28日、オーストリア＝ハンガリー帝国領であったボスニア＝ヘルツェゴビナのサラエヴォを訪問中のフランツ・フェルディナント大公夫妻が、ある男の放った凶弾に倒れるという悲劇が起きました。この「**サラエヴォ事件**」は、第一次世界大戦のきっかけとして教科書にも記されています。

フランツ・フェルディナント大公はかねてより、セルビア王国などをはじめ、バルカン半島のスラヴ民族諸国をハプスブルク帝国に併合しようとしていました。

つまり、フェルディナント大公は当時のハプスブルク帝国の正式名称「オーストリア＝ハンガリー二重帝国」を「三重帝国」に改造しようと画策していました。そしてアピスは、「大セルビア主義」の前に立ちはだかるこの要人の暗殺を目論んでいたの

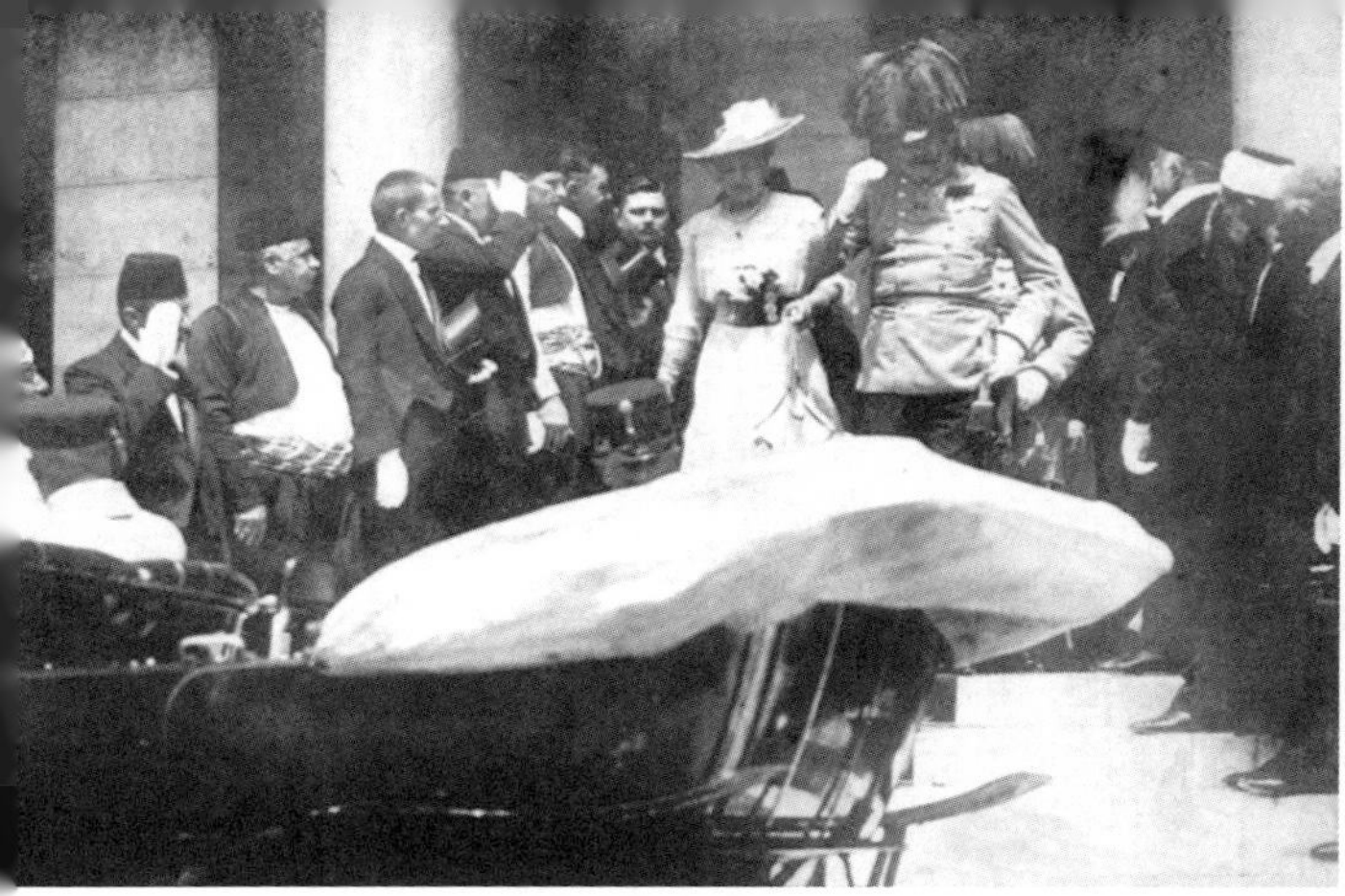

サラエヴォ市庁舎を出て車に乗り込もうとする大公夫妻。
この数分後に、一人の青年によって暗殺された

です。

事件当日は、オーストリア側が「黒手組」の実体を摑めていなかったため、かなり手薄い警備の中、大公夫妻はサラエヴォの街をオープンカーでパレードしました。

誰かが夫妻の車に花束を投げ込んできましたが、大公は花と花の間から、白く細い煙が立ち上っていることに気づきます。

すかさず花束を投げ捨てた大公の予感は的中し、道路に落ちた瞬間に花束は爆発、大勢の犠牲者が出ました。しかし、大公夫妻の生命だけは間一髪で救われたのです。

普通の神経の持ち主なら、神が見せてく

れた奇跡に感謝して警備を増員、細心の注意を払いながら安全圏に避難すべきだったでしょう。にもかかわらず、直情的な性格の大公は「客人を爆弾で歓迎するのか」とひとしきり怒声をあげた後は、機嫌を直し、うかつにも同じオープンカーに乗り込みました。

神が大公夫妻を見放したのは、この瞬間といえるでしょう。

さすがに狭く、人通りの多い道では、大公の車がテロの再標的にされるかもしれません。ゆえに、帰り道は広い道を通ると決めたにもかかわらず、運転手が何を思ったか土壇場で道を間違えたことに気づき、あわてて車を戻そうと四苦八苦します。

車が立ち往生しているとき、そのすぐそばのカフェに二人目のテロリストが、偶然座っていたことが大公夫妻にとっては運の尽きでした。気まぐれな神は、今度はテロリストに向かって微笑んだのです。ピストルを持った若い男が車に近づいてきて、車内の大公夫妻に向かって至近距離で発砲しました。

妻のゾフィー・ホテクは夫を庇《かば》おうと、身を投げ出しましたが、銃弾は彼女の身体を貫通し、大公の急所にまで達しました――。

群衆にパニックが起こる中、テロリストは用意していた青酸カリを服毒しましたが、致死量には足りておらず、その身柄は警察によって確保されています。

大公夫妻暗殺犯はサラエヴォ高等学校3年で、まだ19歳のガヴリロ・プリンチプだと判明しました。アピスの名は出しませんでしたが、彼の心酔者でした。

「宿敵フランツ・フェルディナントを殺したことは少しも後悔していないが、何の罪もないホーエンブルク公爵夫人（ゾフィー）を巻き添えにしたことは深く悔やんでいる」と裁判で証言した彼は、未成年ゆえに20年の禁固刑となり、後に獄中で病死しました。

セルビア王国への宣戦布告、そのときアピスは？

かつては実の息子のルドルフ皇太子を情死で、愛するエリザベート皇后をテロで亡くし（44ページ参照）、今回は不仲ではあったものの、「帝位継承者」を暗殺で失ったハプスブルクの老皇帝**フランツ・ヨーゼフ1世**は怒りを抑えることができませんでした。

そして、このサラエヴォで起きたテロ事件は、隣国セルビア王国の秘密組織・黒手組の手引によるものだと断定し、セルビアへの宣戦布告が行なわれたのです。まさにバルカン半島こそ「ヨーロッパの火薬庫」でした。オーストリアにはドイツが味方し、対するセルビアにはロシアがつき、あれよという間に、ヨーロッパだけでなく、全世界の大国が利権獲得目的で参戦し始め、「火薬庫」は火柱をあげて爆発しました。こうして**人類史上初の「世界大戦」が勃発**したのです。

アピスは今回も、ガヴリロ・プリンチプたち哀れな下手人《げしゆにん》を「尻尾切り」して逃げ切ったかのように思われました。

しかし、1916年、悪辣《あくらつ》な所業を繰り返す「黒手組」の息の根を止めることを目的に結成された「白手組」の暗躍により、セルビア政府からも世界大戦勃発の原因をつくった犯人と目《もく》されたアピスは、少数の部下と共に逮捕されました。

処刑された彼の遺骸は、テッサロニキ郊外のセルビア軍人墓地に埋葬されました。

フランス革命の勃発を決定づけた「ミシシッピ計画」という名のバブル地獄

1789年の**「フランス革命」の勃発を決定づけた要因**とは、いったいなんだったのでしょうか?

「18世紀末、ヴェルサイユで贅沢に暮らす国王ルイ16世とその王妃マリー・アントワネットをはじめとする王族たちの浪費生活に、不況・凶作に悩むフランス国民が激怒、立ち上がったのがフランス革命の始まりだ」などと教科書には書いてあるので、それを信じ込んでいる方が多いかもしれません。

しかし、実際のところ、すでに18世紀はじめ頃にはフランス王国の破綻《はたん》は、ほぼ確実なものとなっていました。若き日のアントワネットの服飾費は国家予算の1%にも達していたといいますが、このような浪費など、ただの「おまけ」です。

莫大な赤字の主たる原因は**「太陽王」**こと、**ルイ14世の72年間にも及んだ長すぎる治世**にありました。国王の華麗な浪費生活と度重なる戦争により、フランス王国が抱える債務（＝国の借金）は30億リーブルにも膨れ上がっていました。

1リーブルは現代の日本円にして、２５００円程度なので、７兆５０００億円ほど。当時としては天文学的数字の借金の重みが、フランス王国にのしかかる中で、ルイ14世は崩御したのです。

年間の国家収入は1億４５００万リーブルありましたが、支出が1億４２００万リーブル。残りの３００万リーブル程度では、国の借金の利子を支払う程度にしかなりません。

つまり、フランス王国は瀕死の状態で、なんとかフランス革命勃発の日まで存続していたゾンビのような有り様だったのです。

摂政・オルレアン公が「所得隠しの密告」を奨励

ルイ14世が崩御した後、１７１５年、新国王に即位したのは、わずか**5歳のルイ15**

世です。そのため新国王が成人するまでは、**オルレアン公フィリップ殿下が摂政としてサポート**することになりましたが、彼はなかなかの政治経済オンチでした。

オルレアン公はすでに財政破綻していたフランス王国を立て直そうと、まず国民の財産に手をつけ、その一部を没収しました。当然、大きな反発をくらいます。すると、今度は国家に向けられた怒りの矛先を変えるため、**隠し財産を持つ者を見つけたら、それを密告すれば、政府が報奨金を与えるという法令**を出したのです。

もう、めちゃくちゃです。しかし、フランス王国の「本当の終わりの始まり」はこれからでした。

悪魔か？ 救世主か？ 天性のギャンブラー「ジョン・ロー」の登場

万策尽き、もはやお手上げのオルレアン公の前に、悪魔が救世主の顔をして現われたのです。その名は**ジョン・ロー**。1671年、スコットランドのエディンバラ地方に生まれ、長身でハンサムな紳士の姿をしていました。

14歳で父親の会計事務所に入所した後は、金勘定と金融政策のプロというべきスキルと知識、そしてカジノで鍛えあげた根性と人目を欺《あざむ》くスキルを併せ持つという人物でした。そんなジョン・ローがオルレアン公に最初にさせたことは、**「ロー・アンド・カンパニー」という銀行の設立**です。これは後に「フランス王立銀行」と改名されました。

「ロー・アンド・カンパニー」では**国民から貨幣を預かる代わりに、希望すれば手元に戻すことができるという銀行券を発行**しました。重たくてかさばり、携帯しづらく、自宅では保管しにくい**金貨や銀貨の代わりに、銀行券が紙幣として国中で使われるようになった**のです。

この紙幣のおかげでフランス国内の商業は活発化し、税収も増えていきました。国中に「ロー・アンド・カンパニー」の支店がつくられ、紙幣はさらに普及していきます。

しかし、ローにも悩みはありました。当初は、銀行に預けられた貨幣と、その引換証である銀行券（＝紙幣）が厳密につり合うよう、心を配っていたのです。ところが、「紙幣を発行すればするほど、国が栄える」と深刻な勘違いをしている政治経済オン

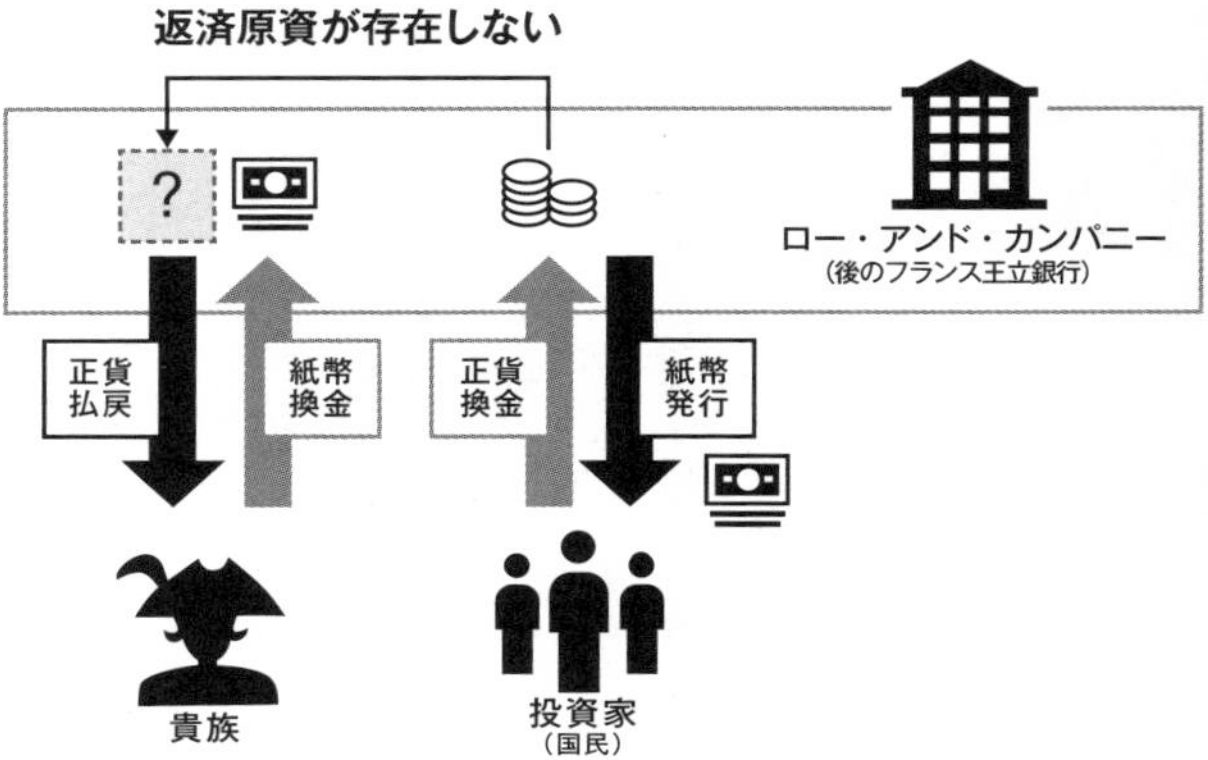

ジョン・ローが考えたお金が流れるシステム。
銀行券で商業は活発化したが、やがて貨幣の量とつり合わなくなり――

チのオルレアン公が、紙幣の大量発行を迫ってきました。

はじめのうちはローも反発しますが、最終的には**貨幣の数に見合わないような大量の紙幣を印刷し、国中にバラまいてしまう**のです。その結果、紙幣の発行数と銀行間の貨幣の量はつり合わなくなります。

つまり、ローの銀行内には存在しない量の金貨や銀貨を埋め合わせることが必要となりました。「帳尻合わせ」に困り切ったローは、恐ろしい計画を思いつきます。

これが後に**「ミシシッピ計画」**と呼ばれるものの実態で、**人類史上二番目のバブル地獄**を生み出したのでした。

✦「ミシシッピには金銀財宝が数多く眠っている」

ルイ14世の領土拡張政策の結果、18世紀前半のフランスはアメリカ・ルイジアナを植民地としていました。現在ではミシシッピ川の流れるルイジアナ州に、フランス支配当時の名残がある程度です。当時のフランス人は「ミシシッピ」と聞けば、「あぁ、あの犯罪者を流刑にする土地？」くらいの認識しかない人たちばかりでした。そこにジョン・ローは目をつけたのです。

彼は**紙幣の発行で築き上げた信頼を悪用し、「ミシシッピには金銀財宝が数多く眠っている」**と熱弁を振るいました。「ミシシッピを開発する、その名も**『ミシシッピ計画』**を実現できれば、巨万の富がフランスに流入する」。そして、開発会社である「ミシシッピ会社」の株券を買って応援してくれた人には、多額の配当を出すとジョン・ローは約束したのです。

上は王族、下は庶民にいたるまで、フランス全土の人々が彼の言葉を信じ込んでしまいました。もちろん、ミシシッピに金銀財宝が本当に眠っているのかといえば、何

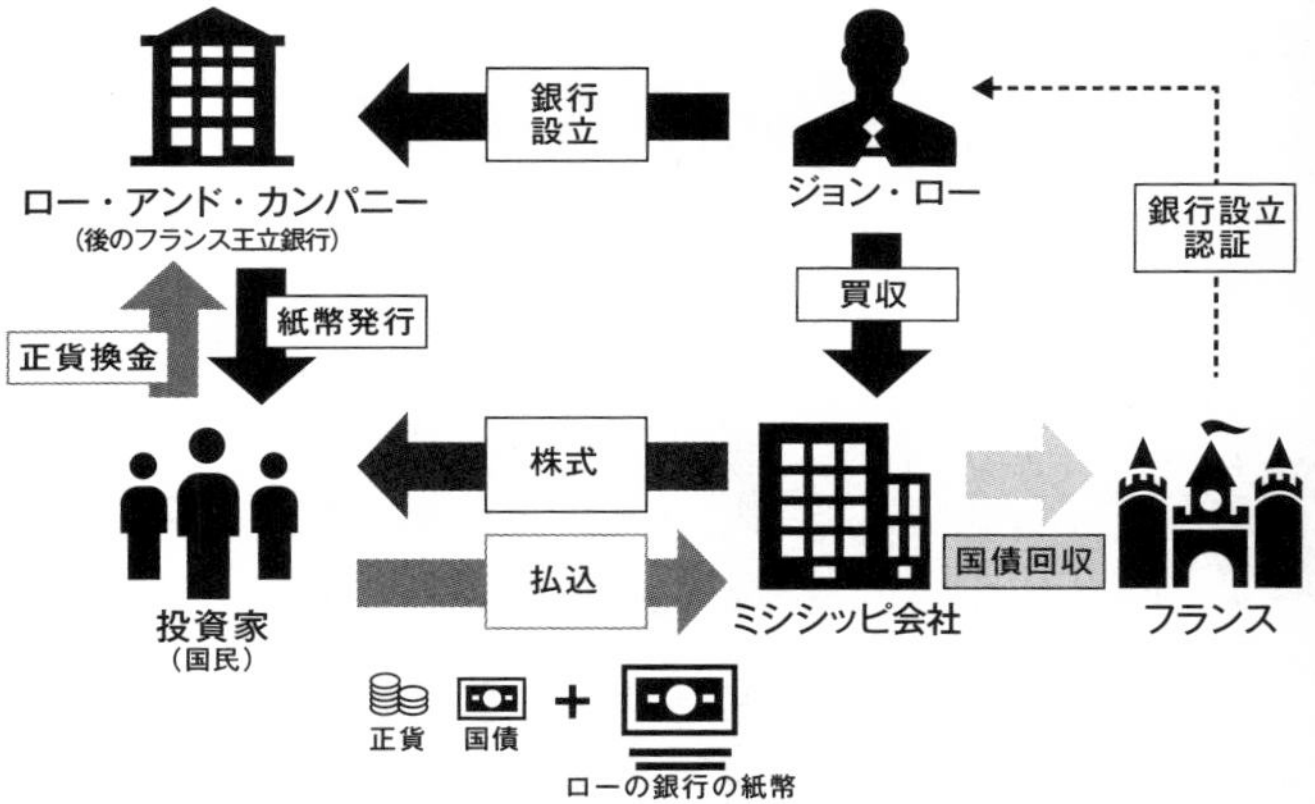

刷りすぎた紙幣の帳尻合わせのため発動された
「ミシシッピ計画」の恐るべき実態とは——

の根拠もありません。

ミシシッピ会社の株は一株につき500リーブルでしたが、正貨ではなく、**国債**で支払うシステムでした。国債といえば、国の借金です。

ルイ14世の治世以降、財政難のフランス王国が抱える債務は30億リーブルという天文学的な数字にまで膨れ上がっていたと前述しました。

その国の借金が、実体のない「ミシシッピ会社」なる開発会社の株が売れるごとに、帳消しになっていくというカラクリ……。

「ミシシッピ会社」の実態は、いわば王立詐欺会社だったのです！

◆株価高騰、バブルの発生。そして突然の破滅

売り出し当初の1719年、500リーブルだったミシシッピ会社の株価は上がり続け、1720年初頭には1万リーブル、つまり20倍にもなりました。この時点でも、ミシシッピの開発は行なわれてさえいませんでした。しかし、海外から物好きな投資家や富裕層がフランスを訪れるようになり、外貨を落としていってくれたので、フランス国内の経済は盛大に回るようになり、様々なビジネスが成長します。

こうして**給料、物価、不動産価格が目に見えて上昇し始めるというバブル**が本当に訪れました。フランス史において、その数年間のことは国家のリーダーだった摂政殿下ことオルレアン公フィリップの呼称から**「摂政時代」**と呼ばれ、贅沢きわまりない繁栄の時代として記憶されています。――しかし、破滅は突然、訪れました。

1720年初頭、つまりミシシッピ会社の株価が最高値を更新し続けている頃、株式の新規購入を断られてしまった王家につらなる名門貴族・**コンティ大公が、ローの**

銀行に預けていた金貨や銀貨をすべて引き出すという嫌がらせをしでかしました。

大公は荷馬車3台に山積みにしたコインを運び出したのですが、それを見て、ローがカンカンになって怒ったのです。彼にはまだ理性が少しは残っており、「ミシシッピ計画」の金メッキが剝がれてしまうのを恐れたからだと思われます。

ところが、ローが怒ってみせたことに、違和感を覚えた経済に明るい貴族たちや株式仲買人たちは、彼の銀行に預けていた金貨・銀貨をこっそり引き出し、それを国外に送金するようになりました。フランスではもうすぐ貨幣価値がゼロになるということに、一部の人々は気づいてしまったのです。

やがて、一般民衆も銀行に殺到し始め、最終的にローは、自分の銀行で発行した紙幣に見合う数だけの金貨や銀貨が銀行の金庫内に存在しないことを認めざるをえませんでした。

怒り狂う民衆に狙われてフランスを脱出！

こうなるともう、ローの紙幣など誰も使おうとはしません。ミシシッピ会社の株価も地に落ちました。

1720年5月29日、ローはフランス王国の財務総監の職を辞任し、虎の子の財産を奪われたと怒り狂う民衆に命を狙われながらも、国内で潜伏《せんぷく》生活を送っていましたが、12月20日、オルレアン公に手助けされて、国外へと脱出していきました。

その後のジョン・ローは、イタリアはヴェネツィアにおいてプロ・ギャンブラーとして活動しましたが、1729年、多額の借金を抱えて亡くなっています。

「不条理な暴力」がパリを支配したフランス革命の真実

1789年7月14日深夜、民衆がパリの監獄を襲撃する事件が発生しました。**バスティーユ襲撃事件**です。事件がヴェルサイユに伝わったのは早朝でしたが、フランス国王ルイ16世は前日の狩りの疲れもあって就寝中で、側近のラ・ロシュフーコー＝リアンクール公爵から報告を受けたのは、日もずいぶん高くなってからだったといいます。

「暴動（révolte）か」と問う国王に、公爵は「いいえ、陛下、暴動ではございません。革命でございます（révolution）」と答えました。

この有名なやりとりは、19世紀になってから公爵自身が書いた回想録の一節に記されています。18世紀当時において、フランス語の「révolution」は、「天体の運行、公転」の意味で使われることが多く、これが主に「革命」という意味になったのは、それこそフランス革命後、19世紀になってからです。

それゆえ、本当にこのようなエスプリの効いた会話が、国王の寝室で行なわれたのかは疑わしい気がします。それに実際のところ、バスティーユ襲撃事件は、「革命」というより「暴動」といったほうが事実には近かったのです。

✦「良識ある庶民」が目にしたバスティーユ襲撃事件の実態

後に作家として大成するフランソワ＝ルネ・ド・シャトーブリアンは、ちょうどバスティーユ襲撃事件が起こった日に、パリに滞在しており、バスティーユを陥落させた「勝利者たち」が意気揚々と引き返してくる現場に鉢合わせしました。

しかし、シャトーブリアンは嫌悪を隠そうともしません。

「それはすっかりのぼせ切った酔っぱらいどもであり、いかがわしい連中や売春婦たちにつき従われた彼らは飲み屋に駆け込むと、「征服者として讃《たた》えられた」一方で、「通行人は恐怖に怯《おび》え、連中に敬意を示すために帽子を脱いだ」（『墓の彼方からの回想』第5巻）。

フランス革命の始まりを告げる英雄的事件としてバスティーユ襲撃は描かれがちです。ところが、良識ある庶民たちの多くは共感するよりむしろ恐怖を感じ、飲み屋や売春宿に入り浸るようないかがわしい連中だけが大喜びで、馬鹿騒ぎをしていたという嘆かわしい状態だったことがわかります。

要するに、バスティーユの襲撃は暴動そのものだったのです。

「ヴェルサイユ行進」は〝庶民の勝利〟と描かれがちだが――

この暴力と不条理は、次第に生活に不満を持つ人々に空気感染していき、同年10月5日、女性が大挙してヴェルサイユ宮殿に押しかけ国王一家をパリに連行したと後に語られる事件（＝**ヴェルサイユ行進**）が起きています。

その参加者の様子について、シャトーブリアンは次のように描いています。

ヴェルサイユから数門の大砲が持ち出され、その上に「獰猛《どうもう》な女たち、やくざ女たち、売春婦が馬乗りになっていて、このうえなく卑猥《ひわい》な言葉を吐き散らし、このうえなく汚らしい身振りをしていた。それに続いて、年齢も性別もまちまちな群衆の只中を親衛隊たちが歩いてきた。（略）彼らの曳《ひ》く馬のそれぞれには2、3人の市場の女が乗っていたが、それは汚らしい、酔っ払って服装の乱れた酒飲みどもだった」。

ヴェルサイユ行進もまた、ブルボン王朝の圧政に対する「庶民の勝利」として描かれがちですが、実際は流血と暴力を好むタイプの人間が嬉々として参加し、法と秩序の完全な崩壊を彷彿《ほうふつ》とさせる深刻な暴動事件だったことがうかがえます。

一団の掲げる二本の旗印の先にあったもの

これらの事件以降、民衆というより暴徒化した人々は、何か気に入らないことがあると、憂さ晴らしのために襲撃事件を企て、平然と実行するようになりました。

あるとき、姉とパリの家具つきホテルに滞在していたシャトーブリアンはまたも暴動に遭遇し、「扉を閉めろ！」という宿屋の人たちの叫びを耳にして、思わずホテルの窓から道路を見下ろします。すると、「ぼろを着た一団が通りの一方の端からやってくる」のが見えました。

「その一団の中ほどに二本の旗印のようなものが立ち上がっているのが見えたが」、それらはよく見ると、人間の頭でした。

「彼らが前進してくると、髪がばらばらになり、すっかり顔かたちが崩れた2つの頭部が見分けられた。（略）それはフーロン氏とペルティエ氏の首だった」。フーロン氏とペルティエ氏とは、パリの食糧難に関係していると民衆の間で噂され、非難されていた高級官僚の名前です。

彼らの無惨な姿に衝撃を受けたシャトーブリアンは、報復されるかもしれないという恐怖を忘れ、

「ならず者どもめ！」

「おまえたちは自由がこんなものだと思っているのか！」

と叫んでいました。旧来の政治の低迷を憂《うれ》えながらも、彼の革命への不信、嫌悪は消えぬままでした。

✦「9月の虐殺」――革命家たちは暴徒をこうして扇動した

血なまぐさい暴力は拡大する一方で、ついにルイ16世とマリー・アントワネット夫妻が混乱のパリを脱出しようとして逮捕された後（**ヴァレンヌ事件**）、暴徒たちによる「気に入らない」人間に対する死刑と粛清はさらに過激化しました。

1792年のパリで起きた「**9月の虐殺**」は、フランス革命当時、世間に広がっていた不条理な暴力の恐ろしさを象徴する事件です。

この頃、国王夫妻の監禁と王政の停止に

反対するオーストリアなど外国の軍隊や、フランス国外に脱出した貴族たちによる反革命軍がもうすぐパリに到着するという噂が流れてきました。彼らによる報復攻撃を恐れた革命家たちは、暴徒を扇動《せんどう》し、「問題人物」すべてを処刑してしまうことにしたのです。

9月2日の朝、パリ中の鐘が鳴り響きました。それを合図に市外へと続く門はすべて閉ざされ、誰一人、外に逃げられなくなったことを確認した暴徒たちはパリ市内の監獄だけでなく、修道院、矯正施設、精神病院までも襲撃し、弱者たちが犠牲となりました。虐殺は6日まで続いています。

このようにおぞましい裏話があまりに多いフランス革命が、世界史の教科書で語られるような英雄的かつクリーンな代物であるはずがありません。

4章 スキャンダルには思いもかけない「裏」がある

……人間の「本性」はかくも哀しいもの

ショパンとジョルジュ・サンド――「ロマン派芸術家カップル」の不都合な話

天才ピアニストにして作曲家の**フレデリック・ショパン**と、女流作家の**ジョルジュ・サンド**は、綺羅星《きらぼし》のような才能が集っていた19世紀初頭、ロマン派時代のフランスを代表するビッグカップルでした。

傷つけあって別れる二人の愛を描いた創作物や映画は数多くつくられてきましたが、実は晩年のショパンにはサンドとは別に「恋人」がおり、数々の状況証拠から、それは**サンドの娘のソランジュ**だったと推測されるのです。

ショパンとサンドのあいだには何通も交わされたはずの愛の手紙がありました。ですが、なぜかわずかしか現存しておらず、彼らの関係の全貌を知ることは困難です。それはショパンが亡くなった後のサンドの行動が原因でした。

ショパンとジョルジュ・サンド。
ロマン派時代のフランスを代表するビッグカップル

二人のあいだで交わされた手紙の行方

ショパンはサンドから来たすべての手紙をきちんと束ね、金庫に入れて保管していました。1849年、39歳の若さでショパンが亡くなると、最期を看取るため、フランスに滞在していた姉のルドヴィカがその手紙の束を相続したのですが、彼女はポーランドとの国境にあったロシア帝国の税関所での没収を危惧し、その近くで宿屋を営む知人に託すことにしました。

しかしその後、ルドヴィカが手紙を取りに来ることはなく、1851年、『椿姫』

などの作品で知られる流行作家のアレクサンドル・デュマ・フィスが偶然、この宿屋に宿泊し、主人から「ショパンの手紙を預かったままなのだが、どうしたらよいか」と相談されたのです。

手紙を引き受けたデュマ・フィスは、父親のアレクサンドルに連絡しました。父親はジョルジュ・サンドと親交があったからです。

事情を知ったサンドはデュマ父子に切々たる様子でショパンの手紙を返してほしいと訴えました。デュマ父子が、彼女に手紙を返すと、**サンドはショパンの手紙の束を火中に放り込んでしまった**のです。

もちろん、もともとサンドの手元にあったショパンからの手紙はすでに焼却しています。こうして彼らの関係について記された貴重な史料の多くが、サンドの手で灰にされてしまったのでした。

解せないのは、徹底的に手紙を抹消しようとしたサンドの姿勢です。それは彼女がショパンとの関係において、世間には知られたくない事実を抱えていたからだと見て間違いないでしょう。

◆二人の関係はいつから変わり始めたのか

ショパンとサンドの関係が、「変質」し始めたのはいつからだったでしょうか。

二人の関係が始まってすぐの1838年秋から翌年春にかけ、ショパンはサンドの子供たち二人と共にスペイン領のマヨルカ島で過ごしています。

肺を病んでいたショパンの転地療養をかねての滞在でしたが、このとき、ショパンはやつれはてた顔をしていました。それを見たパリの社交界の人々は、その理由をショパンの病ではなく、男出入りが多く、「吸血鬼」とさえ呼ばれたサンドから過度な夜の要求をされているからだ……と考えていたようです。

しかし、この頃すでにサンドはショパンを男性としてではなく、息子の一人として遇し始めていました。それでいてサンドはショパンを愛していたのです。夫と別居中のサンドは、ショパンの前にも後にも多くの愛人を持ちましたが、ショパンと過ごした9年間だけは、ほとんど浮気らしい浮気もせず、ショパンと二人の子供たちの世話に明け暮れたことがわかっています。

「病弱なショパンの体調に配慮し、私は女としての幸せを捨てていた」というのがサンドの主張ですが、真実はどうなのでしょう。

マヨルカ島滞在の時点で、サンドの長男モーリスは15歳、長女のソランジュは10歳になっていました。思春期に差しかかった彼らの手前、愛人の男を家庭に引き込むのみならず、子供たちの前でベタベタして見せることには、さすがのサンドにも抵抗があったのではないでしょうか。

しかし、サンドは自分を愛してくれる殿方なしには暮らせない女性でもありましたから、病弱なショパンを「私の息子」とか「坊や」と呼んで、猫可愛がりしながらも手元に置いておく必要があったのかもしれません。サンドはショパンから求められても理由をつけて応じず、プラトニックな関係を強要していたようです。

いうまでもなく、そのようなサンドの態度は、ショパンを傷つけていました。「最高のショパン弾き」といわれるピアニストのアルフレッド・コルトーは自著『ショパン』の中で、サンドを批判しています。

「そういう態度は、ショパンの気を鎮めるどころか、そんな禁欲的な強制は（略）かえって彼を興奮させるのである。彼は（略）『世の常の人のように生きる力が与えられていない』ことを見せつけられて辱《はずかし》められるのだ」

コルトーが見抜いているように、体調が悪化したときほど、ショパンは神経症的な激烈な態度でサンドに接し、これが二人の関係を悪化させる一因となりました。我慢強いショパンにとって、元気なときならまだ許せるサンドからの子供扱いも、本当に体調不良のときには耐え難かったのかもしれません。

ショパンとサンドの娘ソランジュの「特別な関係」

興味深いことに、ショパンとサンドが決別に至ったのは、**オーギュスト・クレサンジェ**という人柄に問題がある彫刻家とサンドの娘ソランジュの結婚問題でした。ソランジュを嫁がせようと積極的すぎるサンドを、ショパンが批判したからです。

しかし、サンドは激怒し、9年間も生活を共にしてきたショパンに「**他人の分際でわが家の内情に口出しすることは許さない**」と言い放ちました。

サンドのあまりに独善的すぎる態度から、彼女はショパンがソランジュに特殊な思いを抱いているのを、すでに気づいていたのではないか……と、筆者は考えます。

現存するわずかな手紙には、ショパンとソランジュが特別な関係にあることを匂わせる一節はほとんどありません。しかし、1845年頃から、17歳になったソランジュがショパンにまとわりつく姿が記録され、サンドは嫉妬させられていたはずです。

母親としてのサンドは、長男のモーリスを偏愛する一方、ソランジュには冷淡でしたから、あるべき肉親の愛を求め、ソランジュは18歳年上のショパンにしなだれかかった……そのように解釈することもできます。そして、1845年の夏、ソランジュはショパンにピアノのレッスンをねだり、連弾しようと持ちかけ、同じ馬車で一緒に出かけることを繰り返しました。

おそらくソランジュの初恋の相手はショパンだったのでしょうが、ショパンが彼女の思うようには応じてこないため、ソランジュとしては彼への意趣返しのつもりで、暴力的なクレサンジェという彫刻家のもとに走ってしまったようですね。

✦ショパンには一切告げられなかった「ソランジュの結婚式」

サンドは彼らの結婚を熱烈に後押しし、ショパンには何ひとつ告げぬまま、結婚式まで終わらせてしまいました。事後報告を受けたショパンは、サンドとソランジュに月並みな祝いの手紙を書く一方、ワルシャワに住む自分の家族には、こう述べています。

「ソランジュの結婚についてですが、僕の病気中に式は田舎であげられました——正直いって、式がすんでしまって残念だとは思いません。というのは、結婚式場で僕はどんな顔をしていたらよいかわかりませんから」

はたしてソランジュとクレサンジェはすぐに破局するだろうというショパンの推測どおり、クレサンジェが、サンドの長男・モーリスに金槌《かなづち》で殴りかかり、モーリスが拳銃を構えたので、サンドが両者を命がけで止めるという事件を起こしました。それによって、ソランジュの新郎への気持ちも一気に翳《かげ》りました。

ソランジュは新婚早々、自分の非をさとり、ショパンはそんな彼女を見捨てないと宣言したそうです。それを伝え聞いたサンドは、嫉妬のあまり「ショパンから私は悪口をいわれている」と主張する手紙を周囲に、執拗《しつよう》に送り続けたのでした。

こうしてショパンとサンドの関係は修復不能となってしまいました。

母と娘は「永遠のライバル」となる運命なのか

サンド一家の内紛に巻き込まれて衰弱したショパンは、肺結核をますます悪化させ、1849年10月17日午前2時頃、パリで息を引き取りました。

ショパンの手を最後まで握りしめ、彼と見つめ合っていたのはソランジュでした。

彼らの姿からは、おそらくプラトニックな関係を貫いたにせよ、二人が運命の恋人であったのは間違いないのではと感じられます。

一方、サンドは、ショパンの危篤と死について知っても、パリから遠く離れたフランス中部の街・ノアンから動かないままでした。10月30日のマドレーヌ寺院での葬儀にも顔を見せていません。ソランジュがショパンのそばにいなければ、サンドも少しは素直になれていたのでしょうか……？

ある種の母と娘は「永遠のライバル」となる運命ですが、それに巻き込まれ、寿命を縮めたであろうショパンが哀れです。

耽美主義作家ユイスマンスが目撃した「呪術闘争」の全貌

19世紀後半以降、西ヨーロッパ諸国では急速に科学が発達し、生活は近代化していきました。人々はその便利さを謳歌《おうか》すると同時に、世界から神秘的なものすべてを科学技術が消し去ってしまうのではないかと、不安すら感じるようになりました。

そして一部の人々は、科学では解明できない謎で溢れたオカルトの世界に「癒やし」を求めようとしたのです。とくに「世紀末」のフランスでこうした傾向は強く表われました。

ジョリス＝カルル・ユイスマンスという作家をご存知でしょうか。小説、美術評論などで才能を発揮し、19世紀末のフランスにおける耽美《たんび》主義・神秘主義文学の中心的人物です。しかし、驚いたことに、ユイスマンスはフランス内務省の役人でもありました。20歳から70歳で定年退職するまでの50年間をノンキャリアの役人として勤め上げています。この頃のフランスでは、公務員の副業は禁止されていませんでした。

✦周囲を困惑させたユイスマンスの「悪魔信仰」

当時からフランス人は他人には無干渉主義だったと思われます。ですが、真面目さを絵に描いたような態度のユイスマンスが、あるときを境に、「貧乏が憎い」というテーマで小市民向けの小説を書いていた作風を転換し、悪魔信仰に基づくオカルト小説でヒットを飛ばすようになった際には、さすがに内務省の同僚たちも心配したことでしょう。

彼が「私は呪われている」といいながら、教会でもらえる聖体のパンを額《ひたい》にヒモで結《ゆ》わえつけて出勤してきたときには、さらに反応に困ったと思います。

それ以上に、役所の同僚を恐怖で震撼させる事件も起きました。

ユイスマンスにはオカルトの師がいました。ジョゼフ＝アントワーヌ・ブーランというリヨン在住の破戒神父で、あるとき、ブーランから「今日は役所に行かないほうがよい」というお告げがありました。

ユイスマンスがそのとおりにすると、まさにその日、彼の席の背後の壁に吊ってあった金箔縁の重い鏡が落下してきたのです。被害が出たのはユイスマンスのデスク周辺で、もし出勤していれば大惨事になるところでした。

ユイスマンスの師「破戒神父」ブーランとは

カトリックの教会から破門された元聖職者というユイスマンスの師・ブーランは、その経歴からして「怪人」であることは明白でした。

鏡の落下事故を予言する前から、ブーランはユイスマンスのオカルト小説の執筆を助け、悪魔信仰や黒魔術、夢魔《むま》（夢の中に現われて人を苦しませる悪魔）などに関する膨大な資料を提供しており、ユイスマンスから深く信頼されていたのです。

ユイスマンスはブーランとの交際によって、中世フランスの倒錯《とうさく》した大貴族ジル・ド・レを描いた『彼方《かなた》』を完成させ、ベストセラー作家の地位を手に入れました。しかし知名度を得た反面、ブーランの敵と思われる、**目に見えない何者かに狙われるようになってしまいました。**鏡の落下は、その一例だと考えられたのです。

彼自身の言葉を借りると、かねてから「何か冷たいものが顔に触れたような気がして不安になり、目に見えぬものに囲まれていると感じる」ユイスマンスでしたが、最近では頭部に「殴られたような」衝撃があり、透明な何者かが攻撃を仕掛けてきていることは明らかでした。

オカルト小説を書きながらも、本心からのオカルト主義者ではなかったユイスマンスは、症状が出始めた当初は神経症の病気だと思おうとしていました。ところが、彼の飼っている猫までが、ユイスマンスが異変を感じている同じ瞬間に身震いするようになる姿を見て、彼は自分が**「流体」による攻撃を受けているのだ**と確信してしまったのでした。

ちなみに、ユイスマンスのいう「流体」とは、自分に危害を加える、目に見えぬ謎の物体を指しています。それは人智を超えた謎のエネルギー体という言葉で説明できると思われます。ユイスマンスの師・ブーランのような霊能者ならば、「流体」は、誰かを癒やすことにも使えれば、自分の敵を傷つけることさえできるのですね。

呪術による「殴り合い」という異様な戦い

では、ユイスマンスを攻撃したこの「流体」を飛ばしてきたのは、いったい誰だったのでしょうか？　ユイスマンスは、次第に有名なオカルト主義者である**スタニスラス・ド・ガイタ侯爵**が犯人だと疑うようになりました。

ガイタ侯爵は、地方の居城とパリの高級アパルトマンを行き来して暮らす資産家で、真紅の壁紙で彩った部屋にある戸棚の中には悪魔を飼っており、その悪魔を使って気に入らぬ者に攻撃を仕掛けている……などと噂されていた人物です。

そんなガイタ侯爵とブーランとのあいだには、かつてこんな出来事がありました。

あるときブーランは、「弟子になりたい」といって訪問してきたガイタ侯爵と、その友人ペラダンの底意に気づかず、女性信者たちとの性行為を含む異様な儀式を執り行なう姿をうっかり見せてしまいます。

すると、「この儀式は神を冒瀆《ぼうとく》している」と怒り狂ったガイタ侯爵とペラダンが、ブーランに処刑宣告してきたそうです。彼らは熱心なオカルト主義者でしたから、ブーランに対して本当に呪殺の儀式を行なったことがあったかもしれません。

ガイタ侯爵は一貫して、自分がブーランの呪殺を企てたことはないと主張していましたが、その言葉とは裏腹に、ブーランの身に深刻な霊的被害が起きていることは明らかだと見えました。強力な呪術の使い手だったガイタ侯爵が送り込んでくる「流体」は、ピストルの弾丸のようにブーランの身体を撃ち抜いていたのです。

ジャーナリストのジュール＝ボワは「(ブーラン)師は脚を見せてくれたが、悪魔的な一撃によって骨まで貫かれていた。流体の弾丸はさらに師の隠者のように痩せさらばえた胸にまで穴をあけていた」と書いています。

ブーランも「流体」の使い手だったので、ガイタ侯爵の攻撃を受けるがままではなく、応戦することもありました。戦闘中のブーランの姿は、ユイスマンスの言葉では「殴り合っている」ように見えたといいます。しかし、ブーランは押され気味でした。ジャーナリストのボワは、ブーランたちの「殴り合い」を目撃した画家のローゼと

いう人物の証言を紹介しています。
「(ブーランとガイタ侯爵の)戦いが行なわれた晩、見えない拳《こぶし》がミサを執り行なう師の額めがけて唸《うな》りをあげて襲いかかる様を確認した。師の額は、瘤《こぶ》で腫《は》れ上がった。応戦するには時すでに遅く、師は不意を突かれてしまったのだ」

呪殺か、病死か——心臓麻痺で亡くなったブーラン

1893年1月4日、不吉な鳥が姿を現わすなどの予兆どおり、近頃ずっと体調不良が続いていたブーランはバタリと倒れて亡くなりました。69歳でした。

検死の結果、死因は心臓麻痺でしたが、ブーラン支持者たちは、これはガイタ侯爵による呪殺だと執拗に主張します。

「気の毒なブーランは2年間（略）悪霊と常に戦っていました」と証言するユイスマンスのインタビュー記事が、フランスを代表する大新聞「フィガロ」にも載ったほどです。そのうえジャーナリストのボワは、複数の新聞にガイタ侯爵を告発する記事をいくつも載せました。

✦「ピストル決闘」の日に起きた奇妙な現象

沈黙を続けていたガイタ侯爵でしたが、告発記事で自分に対する執拗な攻撃を止めないボワに行動を起こし、ついに両者はアンジェという街にある「ヴィルボンの塔」の下でピストルによる直接決闘で勝負をつけることになりました。

しかし、決闘の前後でも超自然的な異変が起きました。ボワが乗っていた馬車の馬の1頭が転び、車両ごとひっくり返ったり、ボワのピストルからはなぜか弾丸が出なかったり……。客観的に見ると、お互いに弾丸がそれて終わったのですが、ボワは、ガイタ侯爵が、その霊力で弾丸をピストルの中に閉じ込めたのだと主張しました。

決闘後のガイタ侯爵は、この件について完全に沈黙を貫きましたが、1897年、モルヒネ中毒による死を迎えています。まだ36歳でした。

ブーラン、ガイタ侯爵という当事者の死によって、**20世紀を目前とした時期にフランスで起きた呪術闘争の真実**を知る者はいなくなりました。この恐ろしい一件の後、ユイスマンスは次第にオカルトから距離を置くようになり、内務省を定年退職した後に改心し、カトリックの聖職者となっています。

〝日の沈まぬ国〟に君臨したヴィクトリア女王の「純潔という名の無知」

1838年6月28日、それは「日の沈まぬ国」大英帝国の象徴である**ヴィクトリア女王**にとって生涯忘れえぬ戴冠式《たいかんしき》の日でした。

ロンドンのバッキンガム館（当時、まだ宮殿の呼称を得ていない）からウェストミンスター寺院に向かうヴィクトリアが馬車の窓から見たのは、万歳三唱して彼女の名を呼ぶ国民たちの熱狂する姿でした。感極まったヴィクトリアは、「このような国民たちの女王となることをいかに誇りに思うか」と日記に書いています。

しかし、戴冠式はリハーサルが足りておらず、様々なミスや遅延が見られました。ところが、ふらついた老臣を気遣い、玉座から下りていって彼を迎えようとしたヴィクトリアの機転が報道されると、19歳の処女王の人気は沸騰し、上々の滑り出しとなったのです。

19歳の処女王ヴィクトリアは英国民から熱狂されて戴冠した

◆「支配的な母親」から解放された処女王

とはいえ、「よき女王」であろうと誓ったヴィクトリアの生活は、即位から1年ほどのあいだにかなり変質してしまったようです。

残された日記の綴《つづ》りミスからもわかるように、ヴィクトリアはまだまだ学習が必要な子供でありました。本来なら、女王としての統治に必要な知識を厳しい学問を通じて心に刻み込むべき時期だったのですが、ちやほやしてくれる廷臣を動かしているうちに、自分がすでに成熟した聡明な君主になってしまったという勘違いが早くも見られるようになったのです。

支配的だった母親・ケント公妃から制限されることなく、生まれてはじめて自分のお金を自分で使い、人前で自由にふるまったり、劇場に足繁く通って気晴らしをしている程度なら笑って許されたでしょう。

しかし、夜遊びの末に午前1時に公式晩餐会を開始、午前2時になるまでナイフとフォークを置こうともしない生活を続けるようになったのは問題でした。

さらに当時のヴィクトリアには、ある意味、初恋ともいえる好意と敬意を向けていた人物がいました。**首相のメルボーン子爵**です。彼女が「すべてを」メルボーンに相談していることは宮廷内の周知の事実で、二人は毎日2時間以上を一緒に過ごしていたそうです。

宮廷におけるエチケットや、外交事情に関してはパーマストン子爵に聞くのがお気に入りでしたが、女性の出入りが多い彼の「欠点」を処女王がいかに捉えていたかはわかりません。

この時代は、とくに**若い女性の性の知識は著しく制限**されている傾向がありました。19世紀の上流階級の男性には18世紀の貴族社会風の奔放な性生活がまだ許されている一方、女性は「そういうことは何も知らない」ようにふるまうことが課されていたのです。

しかし、それでもヴィクトリアは本当に何も知らなすぎました。「純潔のつもりの無知」が彼女を窮地に陥れる事件につながっていったのは、なんという皮肉だったでしょうか。

❖煙たい母親の侍女の「腰回り」に膨らみが――

1839年2月初頭のある日、ヴィクトリア女王はメルボーン首相に、「困った問題」を耳打ちしました。ヴィクトリアが目視したところ、彼女にとっては折り合いの悪い母親のケント公妃の侍女をしている、**フローラ・ヘースティングス**の胴のあたりが膨らんで見え、「彼女が妊娠しているのは疑いようもない」というのです。

ヴィクトリアが興奮していたのは、フローラを妊娠させたのは、ケント公妃の愛人であったサー・ジョン・コンロイだという確信があったからです。女主人と侍女が、殿方を共有することがスキャンダルだということは、いかに性教育を与えられていないヴィクトリアといえども理解できました。

また、それをきっかけに、大嫌いな母親と、父親面してくるコンロイの二人を宮廷から追い出せるかもしれないという「陰謀」にヴィクトリアは浮かれていたようです。

ヴィクトリアはなぜ、フローラが妊娠していると確信したのでしょうか。そこには、こんな理由がありました。

1938年末、フローラは未婚女性であるにもかかわらず、コンロイ以外の同行者なしにスコットランドからの道中で一泊し、同じ馬車でロンドンに戻ってきたことを聞き知らされていたこと。また、メルボーンから、ヴィクトリアの母親が、コンロイとフローラの親密さに嫉妬心を抱いているようだという報告も受けていたからです。

その疑惑から数カ月後、フローラは胴のあたりがさらに膨らみを帯びた体つきになっており、「彼女は絶対にコンロイの子を宿している！」と確信したヴィクトリアは、侍医のサー・ジェームズ・クラークを呼んで、遠目から観察させるのです。そして、「妊娠の疑いがある」という待望の言葉を待医から引き出すことに成功しました。

もしヴィクトリアが、妊娠からわずか数カ月ほどの間に、遠くから見てもお腹が目立つようになることはないと知っていたら、こんなおかしな主張に固執することはなかったと思われます。

しかし、このときメルボーン首相は、自身の内閣が空中分解しそうな瀬戸際にあって、心労が重なっていました。

それに性的な知識がまるでない若い女性と二人っきりの空間で、妊娠の仕組みについて語ることは避けたかったらしく、熱心に語るヴィクトリアの言葉を、曖昧《あいまい》に聞き流すだけだったようです。

さすがにメルボーンも「事を荒立てず、静観してはどうか」と提案はしていましたが、ヴィクトリアは宮廷中に、フローラ・ヘースティングス妊娠説をばらまいており、紳士淑女たちはフローラを好奇の目で見始めました。たしかにフローラの腹部は膨らむ一方で、ついに「12月冒頭より胆汁の異常分泌」を患っているという声明を出さざるをえなくなるほどでした。

しかし、ジェームズ・クラーク医師はフローラから服の下の診察を拒絶されたため、彼女が妊娠しているのか、そうでないのかという問題の真実がヴィクトリアに知らされることはありませんでした。

なぜ、フローラ・ヘースティングスは医師に身体を見せることを拒んだのでしょうか。不幸にして、彼女は死病に冒されていたのです。末期の肝臓がんを患っていた彼女は、できる限り、普段どおりの生活を続けながら、最後の日々を明るく過ごそうとしていただけだったのです。

しかし、疑いが晴れないヴィクトリアは、女官たちが見守る中、フローラに服を脱ぎ、ジェームズ・クラーク医師の診察を受けなさいという女王命令を出してしまいました。その結果、医師から提出されたのは「腹部の肥大は認められるが（略）彼女が過去に妊娠していた、あるいは現在妊娠しているという疑惑は事実無根である」という報告でした。

✦「処女王の無知」が政治スキャンダルに発展

ヴィクトリアにとっては青天の霹靂《へきれき》だったでしょうが、これは単に無知な「処女王の過ち」というだけでなく、大きな政治スキャンダルに発展しました。診察を拒むフローラを裸にして医師に診察させたことは、女王が臣下に深刻なセクシャル・ハラスメント、あるいはパワー・ハラスメントを仕掛けたのと同じですから、現代ならば退位問題にも発展しかねない重大な事案でした。

しかし、当時の女性、もっというと結婚前の若い女性は成人していても、法的には半人前以下の存在として扱われたので、その責任は周囲が取らねばなりません。女王の場合、「すべて」の相談役だったメルボーン首相の非が追及されることになったのです。

この事件はフローラの名前をとって「**フローラ・ヘースティングス・スキャンダル**」と呼ばれ、メルボーン内閣を内部崩壊させる、ひとつの有力要素となってしまいました。「女王にお仕えできなくなるのは、身を切られるほどつらい」との言葉を残してメルボーンが去っていった日のヴィクトリアは、普段の旺盛すぎる食欲を失い、さめざめと泣いていたそうです。

それからヴィクトリアは、自分の過ちをフローラと母親に率直に謝罪して、両者から許されました。しかし、宮廷に漂う微妙な空気はいかんともしようがなく、マスコミも暴れ馬のような女王の手綱を取ることができる夫を彼女に早くあてがうべきだ、という論調の記事を書き立てました。そんな中、フローラが病に斃《たお》れるとヴィクトリア批判はいっそうの高まりを見せることになるのです。

✦心を病み「肥満と見た目の悪化」に苦しむ

ヴィクトリアにとって、フローラは身内ではなかったのですが、彼女の死の直後にアスコット競馬場に顔を見せたのは、完全な失策でした。ヴィクトリアに浴びせられたのは冷たい視線だけでなく、ある女性の二人連れからは「シッ、シッ」と聞こえるようにいわれたり、野次られたりと散々でした。

次第にヴィクトリアも心を病み、入浴を嫌がり、歯も磨かず、片頭痛や吐き気に苦しむ日々を過ごすようになりました。太りやすい体質だった彼女にとって趣味の乗馬は大切な運動習慣でしたが、それさえも途切れがちになったとか。

その後、何年も彼女はフローラの悪夢にうなされました。

肥満と見た目の悪化に歯止めがかからないヴィクトリアを持て余した周囲の手で、彼女の花婿探しが本格化しました。どん底の精神状態の彼女が見つけた唯一の光が、将来の伴侶であるアルバート公だったのですが、それについてはまた別のお話です。

理解不能！サディスティックすぎた暴君・ボカサ皇帝

１９７７年12月4日午前10時前、中央アフリカ共和国の道路を、８頭の白馬に牽引された、19世紀のナポレオン時代を彷彿とさせる黄金の馬車が進んでいきました。馬車に並走するのは、やはりナポレオン風の派手な制服に身を包んだ将校たちの騎馬隊です。

馬車が止まり、赤い絨毯《じゅうたん》の上に降り立った、**ジャン＝ベデル・ボカサ**は、８万５０００個の小さな真珠と１２２万個のクリスタルビーズで飾られた装束に身を包み、白手袋をはめた手を優雅に振って見せました。

中央アフリカ共和国の終身大統領だった彼が、**皇帝ボカサ１世**として生まれ変わる狂気の戴冠式の始まりです。

ナポレオンの戴冠式をマネして
「道化的な成功」と酷評された
ボカサ1世の戴冠式

彼の額には当初、フランス製の黄金の月桂冠が輝いていましたが、いざ戴冠というとき、ボカサはそれを自らの手で外してしまいます。

そして、傍《かたわ》らの分厚いクッションの上から6000個のダイアモンド、ルビー、エメラルドがきらめく重い冠を取ると、ちょうど173年前のその日、フランス皇帝に即位したナポレオン・ボナパルトがしたように、自らの手で頭に乗せたのでした。

そんな彼のそばには妻のカトリーヌがひざまずいており、これもナポレオンが妻のジョゼフィーヌにしたと伝えられるとおり、ボカサ皇帝は自分の手で妻の頭に冠を乗せてやりました。かくして大統領夫妻は皇帝夫妻に格上げされ、中央アフリカ共和国も晴れて帝国となったのです。

◆フランス人の宣教師に育てられた「最凶最悪の独裁者」

20世紀以降、アジア、アフリカ地域において、欧米諸国の支配力が後退する中、植民地の独立があいつぎ、独裁者たちと、彼らに率いられた新国家が雨後の筍《たけのこ》のように誕生しました。**ボカサはその中でも最凶最悪だと目される独裁者**です。

中央アフリカ共和国建国者の一人とされるバルテレミー・ボガンダの甥として生まれたボカサですが、6歳で孤児となり、フランス人宣教師に育てられたそうです。

ボカサが旧宗主国にあたるフランス軍に忠誠を誓い、その植民地支配を正当化する部隊に属し、インドシナとアルジェリアで戦っていたのは皮肉というしかありません。その働きぶりは戦功十字章とレジオン・ドヌール勲章を授与されるほどでした。

中央アフリカに帰国し、軍の司令長官に任命されたボカサはその翌年、1965年の大晦日《おおみそか》にクーデターを敢行。親戚の**ダヴィッド・ダッコ**から大統領の座を奪い取り、ここから彼の伝説的な奇行の数々が始まりました。

彼は国内の内務大臣、国防大臣、農業大臣、通商大臣、工業大臣、鉱山大臣、運輸大臣などを兼任し、1972年には終身大統領に就任します。それでもボカサの権力欲は尽きず、ついに敬愛してやまないナポレオン・ボナパルトと並び立つべく、皇帝になる道を選んだのです。

彼が憧れたフランスの芸術家や、デザイナーズブランドの全面協力を得て、巨額を投じて敢行したこの戴冠式ではありましたが、ボカサが期待していた世界的な称賛はまったく得られませんでした。

実際に、ローマ教皇パウロ6世からは、老齢を理由に出席を断られ、世界じゅうの主要な王侯貴族もほとんどが欠席しています。

それもあってか、アフリカ諸国からは「道化的な栄光」（ケニアの「サンデー・ネーション」紙）、「不快な行きすぎ」（ザンビアの「デイリー・メール」紙）と罵《のの》しられるだけに終わりました。

そして、この戴冠式から1年半後、早くも彼の破滅はやってきたのです。

デモを行なった子供たちに「発砲する」という異常さ

1979年に中国を旅行したボカサは、当地の学生たちがパリッとした制服に身を包んでいることに大きな感銘を受け、自国の教育改革を志します。

なんでも形から入りたいボカサは、「まずは制服から」と、彼自身がデザインした制服をつくって、それを17人いた彼の妻の1人が営むブランドショップで商品化します。しかも、その店でしか買えない限定販売品にしたところ、あまりの高価さに驚いた数千人もの公務員家庭の子供たちがデモを行なったのです。

それもそのはず。そのときすでに、帝国の公務員たちには数カ月間にわたって給料が出ておらず、彼らの不満は高まっていたのです。それなのにボカサは、支払いの遅れを謝るどころか警備隊をけしかけ、子供たちに発砲し、12人を虐殺するという蛮行に出たのです!

また、同じくデモをしていた小学生たちの一群が、ボカサに向けて抗議の石つぶてを投げつけたところ、ボカサはデモに参加した約180人の子供たち全員を刑務所にぶち込んで、じわじわとなぶり殺していきました。最終的に生き残ったのは、わずか27名だったといいます。

✦ついに国外追放を命じられて……

この凄惨《せいさん》な事件を知った旧宗主国のジスカール・デスタン仏大統領は、これまでの友好姿勢をかなぐり捨てて態度を硬化させると、帝政打倒を画策し始めます。

こうして1979年9月20日、ボカサがリビアを訪問中に、フランス軍の無血クーデターにより、帝政は廃止されて中央アフリカは共和制に戻ります。ボカサは、自ら大統領の座から引きずり降ろしたダヴィッド・ダッコの手によって、今度は自分が皇帝の玉座から引きずり降ろされたのでした。

ところが、フランスに軍事介入されていたにもかかわらず、なぜかボカサは飛行機をパリに飛ばし、当地での亡命生活を希望します。もちろん、パリはボカサ一家など受け入れようとはしなかったので、彼らは南仏のリゾート地、コート・ダジュールに移ります。すると、裏ではずっと持ちつ持たれつの関係だったジスカール・デスタン大統領の口利きもあって、そこでは平穏に暮らせるようになりました。

後にボカサは、パリ郊外の城館シャトー・オードリクールへ移動、傍目《はため》には優雅な亡命生活を楽しんでいました。そんなボカサが突然、中央アフリカへの帰国を決めたのは、謎というしかありません。

気に入らない人物を殺害させるだけでなく、その遺体を調理して食べて喜んでいたという、とんでもない証拠まで邸宅から見つかり、すでに彼には中央アフリカ共和国の裁判所において当人不在のまま、死刑判決が下されていたのです。

故国に戻ると決断し、飛行機に乗って到着した直後、ボカサの身柄は地元当局の手で拘束されました。そして1987年、中央アフリカの裁判所において、ボカサ前皇帝に殺人と横領の罪による死刑が宣告されました。

自称「聖人」として晩年を過ごしたボカサ

1993年8月1日、時の大統領、アンドレ・コリンバの強い意思でボカサはついに釈放されてしまっています。あれだけの罪人であるにもかかわらず、刑務所ではわずか6年間を独房で過ごしただけでした。

その後、ボカサは自分がかつて痛めつけた市民たちのすぐ隣で、3年ほど「聖人」と自称して過ごしてから亡くなりました。

最晩年のボカサは「時のローマ教皇ヨハネ・パウロ2世から、自分がキリストの13番目の弟子であると認められた」と発言していたそうです。

これほどまでに理解困難な狂気に支配された人物が、二度と生まれることはないでしょう。

Column
コラム

世界に冠たる大英帝国の主都ロンドンのお粗末な衛生事情

19世紀半ば以降のヴィクトリア朝時代のイギリスでは、衛生観念が急激に発達したといわれています。なぜ、19世紀になって突然、人々が衛生問題に口やかましくなったのかといえば、それは交通網が国内外に急速に広がったからでしょう。ほかの地域や国と比べて、大英帝国の首都・ロンドンと、そこに住む人々がどれだけ汚れているのかという真実に、ついにイギリス人は目覚めてしまったのです。

世界に冠たる大英帝国の首都でありながら、**ヴィクトリア朝時代のロンドンは恐ろしく汚い街**でした。馬車が行き来していましたが、馬が糞をこぼし、誰も掃除しようとしないために道路は沼地のようだったとさえいいます。

公害による環境汚染も深刻でした。19世紀はイギリス全土で工業が盛んになりましたが、環境保全の考えがまだ存在していません。大気中の煤《すす》が混じった雨が降るたび、当時の言葉を借りると、そこらじゅうが「地獄の黒い雨」のような色に染まりました。また、急激すぎる人口増加に下水設備などの生活インフラの拡張がついていけなかったのも原因でした。

1801年からの約100年間で、ロンドンの人口は100万人から600万人にまで膨れ上がりましたが、その大半は地方から流入した貧困層でした。彼らには入浴するための湯を沸かす金もなければ、家に入浴設備自体がありません。それどころか、下水設備がついている家に住めているかすら、かなり怪しいものでした。

ロンドンという汚れた大都市に下水設備がようやく整備され始めたのは、19世紀なかば以降のことでした。この頃からようやく「身体を美しく、清潔に保つべきだ」という感覚が、社会の様々な層に定着するようになったともいえます。

これによって定期的な入浴習慣が、まずは上流階級から根づいていきました。

下水設備がなかった頃は、入浴によって汚れたバスタブの水を手動でくみ出し、捨てる必要がありました。それは宮殿でも煩雑《はんざつ》なことだと考えられ、ヴィクトリア女王が即位した1837年当時、英国王室のロンドンでの居城・バッキンガム館には、バスタブを備えた浴室は一室もなかったといわれます。

◆「冷水浴」はなぜ、広まったのか？

しかも、当時の入浴とは、一般的に**「冷水浴」**を指していました。それゆえ、19世紀半ばのイギリスで毎日の入浴を公言している人物は、ナポレオンを撃退したことで知られるウェリントン公爵だけでした。彼は水風呂に「鍛錬」がわりに浸《つ》かることを習慣にしていたといいます。

バスタブに温水をためること自体が高くついたので、最上流階級以外は、シャワーですませるのが普通でした。しかし、そのシャワーとは高い所から降ってくる大量の冷水を浴びることを指していたのです。

たとえば、明治の文豪・夏目漱石《なつめそうせき》が尊敬していた思想家トマス・カーライルは、自宅の調理準備室にシャワーを取りつけさせています。要するにカーライル家のシャワーは身体だけでなく、野菜や果物を洗うのにも使われたのです。

自分で浴びるだけでなく、妻のジェーンにも毎日「シャワーの瀑布《ばくふ》の下に身をおきなさい」と厳命していましたが、健康になるどころか、生命をも縮めかねない、少なくとも相当な気合を入れねば続けられない習慣のような気がします。カーライルはこの習慣を「気高いシャワー」と呼んで尊んでいましたが……。

19世紀イギリスのベストセラー小説家、チャールズ・ディケンズもシャワーの愛好者で、1851年の豪邸新築時には、専用のシャワー室をつくらせました。しかし、豪勢なディケンズ邸でも、紐を引っ張ると大量の冷水が吹き出すシャワーしかついていませんでした。

いずれも、日本の修験道《しゅげんどう》の行者たちの滝行を思わせる寿命が縮むような行為ですが、当時は、冷水の衝撃こそが身体によいと信じられていたのです。

しかも本来なら、塩水を使うべきだと考えられていたようです。というのも海水浴が健康維持や病気の治療として行なわれ始めたのも、ちょうど19世紀半ば以降のことでしたから……。

要するに当時の入浴とは、身体を清潔に保つ行為というより、**心身を鍛えるトレーニングの一種**だったのです。

ホワイトハウスに浴室をつくろう――大批判が起きたワケ

入浴をトレーニングの一種として考えたのは、イギリスに限った話ではありません。美容に命をかけていたといってもよい、オーストリア帝国の**エリザベート皇后**には毎朝の入浴習慣がありましたが、なんと水温は7度に保たれていました。

また、これと同時期にあたる1851年のアメリカでは、ミラード・フィルモア大統領（第13代）の意思で、ついにホワイトハウスに浴室をつくろうという計画が発表されました（ちなみに、フィルモア大統領は日本に黒船の派遣を行なった人物です）。

しかし、浴室へのバスタブ設置には、批判が起きました。

バスタブは「共和国（＝アメリカ）の素朴さを堕落させようとするイギリス由来の快楽主義的な道具」といわれたのです。なぜかといえば、最上流階級だけが入ることができる「温浴」は心地がよい＝みだらな行為という奇妙な扱いを受けていたからです。

この手の奇妙にストイックな感覚には、温浴に特別な意味を見出さない、われわれ現代人には理解できないところがありますね。

◆庶民のためにつくられた「国民浴場」の登場

シャワー室をつくる余裕のない庶民たちは、どうしたのでしょうか？

イギリスでは、1840年代以降、次々と都市部に設置される「国民浴場」に出かける人が目立つようになりました。しかし、その浴場にあるのはお湯が張られた浴槽ではなく、プールでした。プールに入っても、入浴するのと同じ効果があると信じられていたからです。

1845年に開園したヴィクトリアパークの池も、もとは水泳用もしくは労働者用の水浴場として設計され、午前4時から8時までの時間帯はとくにその目的に限定され、開放されていたのです。

こうして見ていくと、イギリスはもとより、欧米社会全体で入浴の習慣が今日のような形に定着するまでには、相当な混乱があったことが推察されますね。

5章

「知っているつもり」に隠された謎

……「封印されていた真実」が浮かび上がってくる

聖書には記されていない「キリストの誕生日」の謎

人はなぜ、**クリスマス**を祝うのでしょうか？

これは答えの出ない問いかもしれません。なぜ、多くのキリスト教系の宗派において、イエス・キリストの誕生日が紀元元年12月25日だとされているのかについても、実はよくわかっていないのです。聖書にその旨を記した記述は一切ありません。

ある満天の星が輝く夜、キリスト（救世主）の誕生の予言に導かれた3人の博士が東方からベツレヘム（イスラエルの首都・エルサレムの南方10キロメートル）を訪れ、聖なる赤児と対面して祝福するという『新約聖書』の記述は有名ですが、イスラエルの12月は雨季にあたり、星がきれいな夜は珍しいそうです。つまり、本当のキリストの誕生日は12月ではなかったという可能性が浮上してくるのでした。

◆「主の降誕」を祝うのは〝俗っぽい〟こと？

そもそも「クリスマス（Christmas）」という英単語にも「キリストの誕生」という意味はなく、文字どおり、「キリストのミサ」が直訳になります。これは352年頃、ローマ教会がイエス・キリストに関するミサを行なう日を12月25日に決めており、それがなぜか「主の降誕祭」と認識されるようになったからだと考えられます。

それ以前のキリスト教徒たちのあいだでは、「この世の終わり」を告げるキリストの再臨が危惧されるあまり、キリストの誕生日に注意を向ける余裕はなかったそうです。

3世紀くらいになって、やっとキリストがどのように誕生したのか、誕生日はいつだったのか、それを祝うべきか、などの真剣な議論がされるようになりました。

今日にまで続く「クリスマス」の原型は、キリスト教の伝統の中に見出されるより、**古代ローマ時代、12月に行なわれてきたサトゥルナリア祭**という、農業神を讃え、収穫をお祝いする祭典が変質したものだと考えて間違いなさそうです。

サトゥルナリア祭といえば、現代のクリスマスよりもハロウィンの空気に近い、飲めや歌えの大騒ぎでした。4世紀の思想家リバニオスは眉をひそめ、「消費への衝動がすべての人を捕らえている。1年じゅう金を貯め、積み上げることを楽しんでいた者が、突然、浪費に走る」と書き記しています。

日が短い季節で、輝きが足りないぶんは、当時はかなり高価だったロウソクに火を灯《とも》し、木々に派手な飾りつけをして、贅沢な食事を楽しんだそうで、4世紀の時点ですでに今日につながるクリスマス・パーティの原型があることには驚かされます。

サトゥルナリア祭のような古代ローマの神々に由来する習慣は、キリスト教が支配的になった時代、地域にも引き継がれていきました。12月には盛大に楽しみたいというニーズが人々のあいだによほど強かったようです。

中世ヨーロッパでは、12月25日はとてつもない量の豪華な料理を楽しむ日とされており、1213年、時のイングランド国王ジョンは3000羽の去勢鶏、100ポンドのアーモンド、24樽のワインを私的なパーティのために注文したという記録があります。

しかし、中世においても、信仰深いことを自認している人たちは、クリスマスを派手に祝うようなことはしなかったようです。もともと聖書に「12月25日はキリストの誕生日だからお祝いしなさい」という記述はありませんし、ここぞとばかりにその日に贅沢をすることは、質素倹約を重んじるべきと聖書で教えているキリスト教精神に反することだと考えられていたからですね。

クリスマスを楽しみたい人VS.厳かに過ごしたい人

このように中世においても「クリスマス反対論者」たちはおり、彼らは世間の人々が歌い、踊り、社会的身分を無視した派手な仮装をしたり、異性の服をまとって騒いだりすることに大反対で、クリスマスを利用して、熱狂したいだけの人々の姿を「愚者の祭り」「ロバの祭り」と呼んで、冷たい目で見ていました。

「クリスマスこそ楽しもう」という一派と「クリスマスこそ厳《おごそ》かに」という一派、同じキリスト教徒でありながら対立した彼らですが、その後も時代や地域によって、どちらが優勢になるかが決まるのです。

たとえば17世紀中盤、**清教徒**（ピューリタン、プロテスタントの一派）が中心になって絶対王政を倒した「清教徒革命」の時代におけるイギリスでは、かつての消費主義が厳しく戒《いまし》められ、クリスマスが祝われることもありませんでした。

また「新大陸」アメリカに渡った清教徒たちも、少なくともその当初は、クリスマスを祝った形跡がありません。

清教徒革命後の1660年に、イギリスでは「王政復古」が遂げられましたが、クリスマスをかつてのように華やかに祝う習慣は下火のままでした。人々が再び華やかなクリスマスを楽しむようになったのは、なんと19世紀半ばのことなのです。

1840年代になって、文豪のチャールズ・ディケンズや、ヴィクトリア女王といった著名人がクリスマスにカードや贈り物を交換するという習慣を開始します。それがイギリスじゅうで人気を呼ぶと、キリストの誕生にかこつけたお祭りを12月に盛大に行なう習慣がめきめきと復活していくのでした。

✦聖ニコラウスがサンタクロースに進化したワケ

一方で、アメリカにおける植民開始当初のクリスマス・パーティの自粛ムードは、17世紀後半には消え去ってしまい、なぜか野外で盛大に祝う祭りが催されました。しかし、大人たちが酔っ払って大声で喚《わめ》き散らしているため、子供たちは家の外に出られなくなり、これが社会問題化していったのも事実です。

結局、18世紀後半以降のアメリカにおいて、クリスマスは「大人たちの野外の祭典」から、「子供たちを中心とした家庭のお祝い」として見直され、再び変容し始めます。

その流れの中で誕生したのが、子供たちにプレゼントを届けてくれる**サンタクロースという存在**です。サンタクロースのモデルになったのはキリスト教初期の**聖ニコラウス**だとされています。

サンタといえばフィンランド在住のイメージですが、聖ニコラウスはアジア大陸最西部、つまり小アジア地方のミュラという都市の司教でした。

小アジア地方ミュラの司祭、「聖ニコラウス」

18世紀前半のアメリカにおいては、オランダ系移民たちの間でだけ、聖ニコラウスはシンタクラース（Sinterklaas）という名前で人気を保っていました。**12月6日またはその前夜、空飛ぶ馬車に乗って子供たちに贈り物を配りに来てくれると信じられていたからです。**

アメリカのクリスマスが、子供中心の家庭のイベントとして見直されようとしていたさなか、本来ならばクリスマスには直接的な関係がなかったシンタクラースも変貌させられます。

ふだんはフィンランドに暮らし、クリスマスイブにはトナカイの引くソリに乗って、全世界の子供たちに贈り物を届ける優しい老人の姿をしたサンタクロースとして、そのメルヘンチックなイメージが世界じゅうに共有されるようになったのです。

クリスマスを祝う本当の理由

では、人はなぜクリスマスを祝うのかという問題について、改めて考えてみると、それが厳冬期である1月、2月を目前とした12月後半であったことが最大のポイントだったような気がします。

寒く、長い冬を生き延びられるかどうかは運次第というところもありました。クリスマスにかこつけ、なけなしの金をはたいて豪華なパーティを開催したがる人が庶民にも多かったのは、「諸君、生き延びて春にまた会おう」という決起会の代わりだったからではないでしょうか。逆に上流階級は、飢えと寒さの季節である厳冬期を前にしても、びくともしない自分たちの安寧《あんねい》な生活ぶりと富を見せびらかす機会として、クリスマスという祭事を利用したのだと思われます。

12月25日がキリストの誕生日であるべき理由も、それを皆で祝うのも、「救世主」に**「どうか無事に冬を越させてください」**という願掛けだったのかもしれません。

ルネサンス時代、「教皇庁直営の売春宿」があった!?

ミケランジェロの「最後の審判」をはじめ、壮麗な壁画、天井画で溢れかえるバチカン宮殿、**システィーナ礼拝堂**。ルネサンス時代に頂点に達したローマ教皇の栄華を象徴する空間です。

1473年から1481年にかけ、**教皇シクストゥス4世**は多額の金を費やし、システィーナ礼拝堂をつくり替えました。その後も歴代教皇の手で改装は続きましたが、古い宮殿の一室にすぎなかった空間を、壮麗な祈りの場所につくり替えようとしたシクストゥス4世の偉業を讃えるために、彼の名前を反映した「システィーナ」という名称になったのです。

しかし、その多額の費用をまかなう金銭はどこから湧いて出たものなのでしょうか?

壮麗な祈りの場・システィーナ礼拝堂。
ミケランジェロの「最後の審判」の壁画であまりにも有名

当時、ローマ教皇庁の支配下にあった西ヨーロッパの農民たちは、総収入である収穫物のうち、10分の1を、税金として教会に納めていました。しかし、それらより太い財源を、シクストゥス4世は、教皇庁お膝元のローマに抱えていたと囁かれているのです。

◆シクストゥス４世の大きな功績

16世紀のドイツの神学者コルネリウス・アグリッパによると、シクストゥス4世は、システィーナ礼拝堂の建立者であるだけでなく、「ローマに華麗な娼家を建てた」人物でもありました。

「この教皇庁経営の娼家の娼婦たちは教皇庁に対して、一人あたり毎週6グロッシェン銀貨を支払う。収益はこの1軒だけで、1年間で2万ドゥカート金貨にのぼった」そうです（ウィリアム・W・サンガー『売春の歴史』）。ルネサンス当時の1ドゥカート＝現代の日本円にして12万円ほどですから、この1軒だけで24億円にも相当する収入があったようです。

さらにローマ全体に姉妹店があって、その収益の合計は1年あたり8万ドゥカートですから、100億円規模のビジネスをシクストゥス4世は主導していたことになります。

シクストゥス4世は、これらの利益を惜しげもなく公共事業に投入し、システィーナ礼拝堂をはじめ、バチカン宮殿全体を「神の家」にふさわしく飾り立てただけでなく、慈善病院や橋などの生活インフラの整備、さらには教会施設のために費やし、ローマへの巡礼者を増大させました。その点において、彼は偉大な経営者であったといえるでしょう。

しかし、日々の糧《かて》を稼ぐ以上に、贅沢な生活を可能とするような収入を求めることに、カトリックは伝統的に渋い顔をしていたはずです。しかも、夜のビジネスで稼ぐことに対し、当時のローマ教皇庁はどのように解釈していたのでしょうか。

男たちの「不埒な情欲」から女性を守る必要悪？

一般人の性モラルに対しては厳格な態度をとっていた教皇庁ですが、意外なことに、売春関係にはかなりの柔軟さと寛容さをもって臨んでいたことが判明しています。

11世紀の教皇クレメンス2世は、娼婦がその収入の一定額（収入の半額程度！）を教会に納めるならば、仕事を続けることを容認する、という勅令を出したそうです。

さらに**13世紀の神学者トマス・アクィナスは「街の売春は宮殿の下水道」という発言**をしています。つまり、下水道をなくすと宮殿が汚れ、悪臭を発するようになるのと同様、街から娼婦がいなくなれば、男たちの不埒な情欲から女性たちが守られなくなるという考えです。

といっても、このような「売春は社会の必要悪」という考え方が優勢な時代ばかりが続いたわけではありませんでした。性モラルとは興味深いもので、窮屈《きゅうくつ》になったり、弛緩《しかん》しきったりを繰り返すのです。

13世紀も後半になってくると、ヨーロッパ社会全体において、娼婦は社会から隔離され、排除される現象が目立つようになりました。別の職業に鞍替《くらが》えできれば御の字なのですが、現実問題として、売春をするしか生活の糧を稼げない層も存在し、こうした弱者救済の目的もあって、市町村の保護下にある公営売春宿が出現したそうです。

この当時の教会組織はさすがに経営に携わることは控えていましたが、公営売春宿に場所貸しをして、かなりの利益をちゃっかり得ていたのです。その後、**世俗勢力と教会組織が売春宿の利益をめぐって衝突する**ようなことも増えました。

ルネサンス時代のイタリアの性モラルはさらにゆるく、イタリアの各市町村の人口の1割が娼婦として生活していたそうです。シクストゥス4世は、こうした時代背景と、中世以来の教会と売春組織のつながりに注目し、「**それなら教皇庁直営の娼館があってもよい**」と判断して、娼家の直接経営に乗り出したようです。それが先ほど見たように100億円規模のビジネスに成長し、その豊かな実りの一部が、システィーナ礼拝堂などの遺産として現代にまで残っているわけですね。

◆「高級娼婦」から〝巨額のあがり〟を吸い上げていた教会組織

さすが職人階級出身の教皇だけあって、ビジネスの感覚は冴えわたっていたことがわかりますが、おそらくその莫大な収入額から見て、教皇庁の直営娼館は、**コルティ**

ジャーナと呼ばれる高級娼婦たちが集う組織だったのではないかと想像されます。教皇庁直営の売春店の実態も、批判的な神学者たちの言説のあいだにちらちらと見え隠れしているだけでよくわかりません。

しかし、徒花《あだばな》のようなコルティジャーナを保護するという名目で、教会組織が巨額のあがりを彼女たちから吸い上げ、その結果として、ルネサンス芸術はさらなる大輪の花を咲かせていったという想像をすると、なにかやるせないものがあります。

ローマの「性モラル」が激変したある出来事

娼婦たちとの密接すぎる関係は、次第に教皇庁内部を毒していきました。

神と人間が指で通じ合う姿を描いた「アダムの創造」などで有名なシスティーナ礼拝堂の天井画を、ミケランジェロに描かせた**ユリウス2世**（シクストゥス4世の甥）には、足指の先まで腫れ上がり、見るからに梅毒であったため、他の教皇たちのようには信者たちに足先にキスさせることができなかったという不穏な逸話もあります。

しかし、シクストゥス4世の時代から約100年経った、1527年5月に、神聖ローマ皇帝兼スペイン王カール5世がイタリアに軍事侵攻し、ローマでも略奪と殺戮《さつりく》を重ねるという事件が起きました。

この惨劇を、ルネサンス時代のローマの人々が送ってきた放埓《ほうらつ》な生活に対する「神の怒り」だと教皇庁が考え、性モラルが一気に厳格化したのであろうことは簡単に想像できますね。荒廃したローマの都市改造に取り組んだ時の教皇・シクストゥス5世が、その財源を売春に求めなかったことは、時代の空気の劇的な変化を反映しているのです。

かくして古代ローマに続く、イタリア文化の第二の黄金期といえるルネサンスの時代は終わりを告げ、ローマという街も長い混迷の時代を迎えることになったのでした。

巨大船を操るヴァイキングこそアメリカ大陸の「第一発見者」？

日本では平安時代だった頃の話です。西暦9世紀以降、ノルウェーのヴァイキングたちは炎と氷の国であるアイスランドに向かって、大規模な民族移動を行ないつつありました。

ヴァイキングと聞くと、恐ろしい略奪行為の数々を思い出してしまうのですが、実はそれはヴァイキングの中でもごく一部の集団が犯した罪でしかないようですね。われわれが想像するより、はるかに多くのヴァイキングたちが生まれ故郷を遠く離れ、巨大な船を操り、世界じゅうに縦横無尽に植民を繰り返していたことが判明しているからです。

ヴァイキングとは、現代のノルウェー人、デンマーク人、スウェーデン人など北欧の人々の祖先にあたります。西ヨーロッパ諸国では彼らのことを**「北からやってくる海賊」**という意味で「ノルマン人」あるいは「デーン人」と呼んでいたようですが、11世紀以降、改めて「ヴァイキング」と呼ばれるようになっていきました。

「ノルマン人自身が自らを『ヴァイキング』と呼んだ」とは、11世紀のドイツの重要な年代史家「ブレーメンのアダム」（本名不詳）の証言です。

◆「むくつけき大男」か「高貴な容姿」か

10世紀末の記録によると、この頃には、ヴァイキングの活動にも大きな差が出てきました。ドイツやフランスを相変わらず襲撃し続ける一派もいましたが、「ルース」と呼ばれた一派は交易を開始し、現在のロシアのヴォルガ川の流域にまで行って、北欧産の毛皮や美しき女奴隷を食物と交換してもらっていました。

「ヴァイキングは、むくつけき大男」というイメージとは異なり、彼らは丁寧な態度で愛想もよかったようです。

現在のイラク共和国の首都バグダードにあったアッバース朝のカリフ（国家指導

者）の使節団の一員として、現在のロシア南部アストラハン地方に滞在していたイブン・ファドラーンという人物は次のような記述を残しています。

「当地で見かけるヴァイキングの商人たちはナツメヤシの木のようにすらっと高い背丈、赤みがかった金髪と白い肌を持ち、足の爪から首筋まで鮮やかな入墨をしていた」

さらにファドラーンは、「これほど高貴な容姿の人間を見たことはない」とも書いています。９世紀、アイスランドに入植を開始したノルウェーのヴァイキングたちも、そのような姿かたちをしていたのかもしれません。

また当時、ヴァイキングたちが、アイスランドに引き続き、グリーンランド、そしてアメリカ大陸にまで達していたことは歴史的事実のようです。

１９６０年、現在のカナダのニューファンドランド島北部、ランス・オー・メドーという漁村でヴァイキングの遺跡が発見されました。その鍛冶場に残された鉄器の一部を炭素分析した結果、製作年代が１０６０年（±70年）と判明したそうで、ヴァイキングが残した植民に関する叙事詩（サガ）の内容とも合致したのです。

さらに当地からは、グリーンランドやアイスランドのヴァイキングの遺跡から発掘

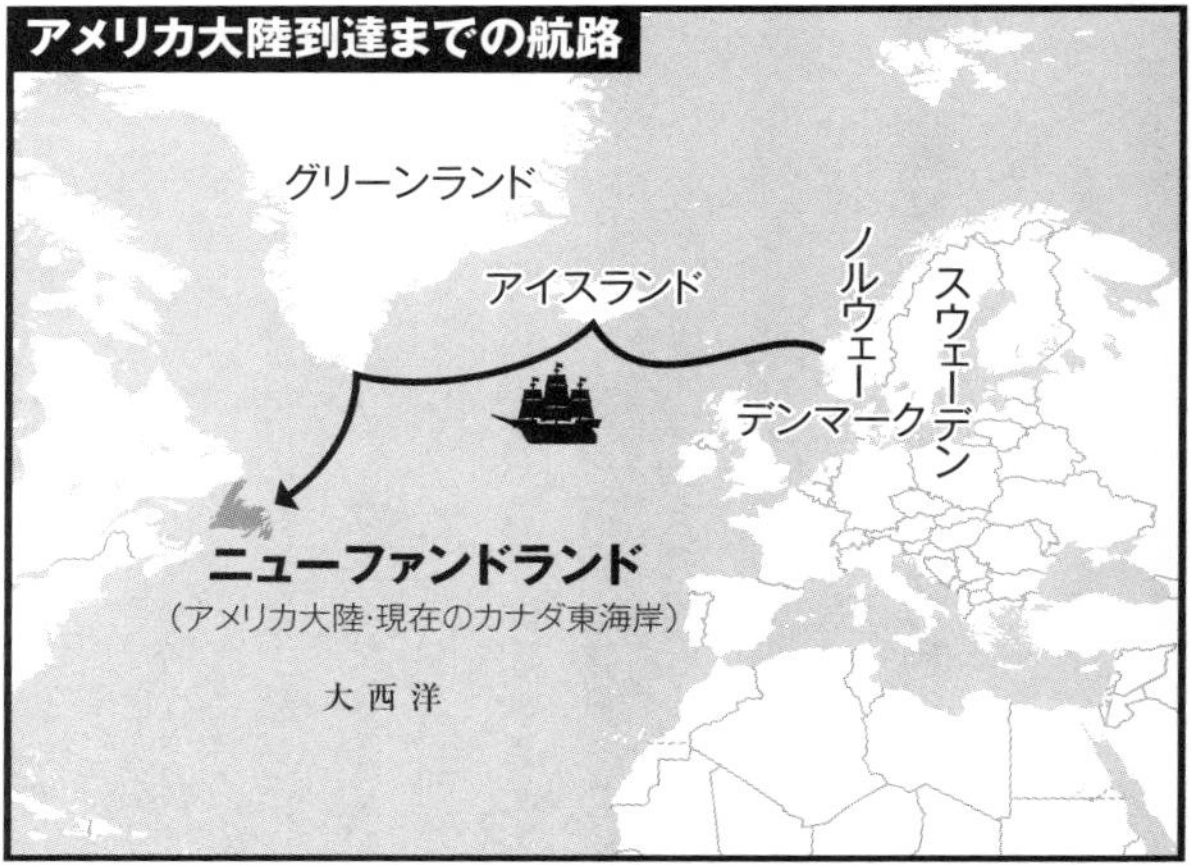

北欧人の祖・ヴァイキングは、1060年頃にはアイスランド、グリーンランドに続き、アメリカ大陸に到達していた

される、**石鹸石**《せっけんせき》と呼ばれる特殊な石でつくられた紡錘《ぼうすい》はずみ車（糸を紡ぐ道具）も見つかりました。

「グリーンランド」——魅力的なネーミングが招いた顚末

しかし、これだけの証拠がありながら、1492年のクリストファー・コロンブスによるアメリカ大陸発見に比べ、それより500年も早いヴァイキングたちのアメリカ大陸発見はなぜ、あまり知られていないのでしょうか？

それはヴァイキングたちが、移住者を少しでも多く集めようと、ニューファンドランドの北端を**「ヴィンランド」**（ブドウの国）と呼び、現実にそぐわない理想的すぎる現地説明を行なってしまったからのようです。

ヴィンランドの発見は、偶然に次ぐ偶然の結果でした。10世紀末の話です。

ノルウェーからアイスランドに移住した一族の子孫で、ヴァイキングの叙事詩には**「赤毛のエイリーク」**という名前で呼ばれる男がいました。彼が殺人罪で告訴され、アイスランドから3年間追放されるという判決を受けたことから冒険が始まります。皮肉にも、これが**新大陸発見への第一歩**となりました。

エイリークは20人の男と少数の女奴隷と共に新天地を求めて航海を続け、現在のグリーンランド西岸に到達しました。魚や獣、そして鳥を捕らえつつ3年間生活したエイリークたちはアイスランドに戻ると、自分たちが見つけ、それなりに開拓した島を**「グリーンランド」（緑の島）**という**魅力的な名前**で呼び始めます。そして、牧畜にぴったりの肥《ひ》沃《よく》な草地と魚で溢れた理想郷だと吹聴して回りました。

夏季はともかく、実際は、年の半分以上を氷に閉ざされた厳しい自然環境の土地だったわけですが、まるで荒れ地に「うるわしヶ丘」といった魅力的なネーミングを施すことでブランド価値を高めたやり方は、現代日本の不動産デベロッパーと同様の手口で笑ってしまいます。

「ブドウの樹が育つほど暖かい土地」の発見

エイリークたちの思惑どおり、この魅力的なネーミングに惹かれて、移住者は増えていきました。

ヴァイキングの文化では、遠隔地に移住後も本国との絆が切れてしまうことはありませんでした。移住者からのクレームは確実にあったでしょうが、気に入る人も多かったのだと思われます。それも移住に拍車をかけたのでしょう。

エイリークの息子のレイフも父の仕事の関係上、ノルウェーとグリーンランドを行き来していました。時に1000年頃のこと、グリーンランドへの帰路で、レイフはヘルヨルフソンという人物が約14年前に偶然見つけて以来、誰も上陸できていないという幻の土地があることを知り、15人の仲間たちと共に、かつてヘルヨルフソンのたどった航路を船で南下することにしたのです。

その道中で、「ヘルランド」（石の国）、「マルクランド」（森の国）などを次々に発見するレイフですが、両方とも住みづらそうだったのでさらに船で南進します。すると、今度は地形も気候も穏やかな島にたどり着きました。

さっそく上陸するレイフ一行ですが、仲間の一人、ティルキルという小柄な男が姿を消したので、皆で探しに出かけることにしました。そこに、酔っ払ったティルキルが目を回しながら戻ってきて、**「ブドウの樹を見つけた」**といったそうです。

ティルキルがいうに、「ここには暖かい土地でないと育たないブドウが茂っているし、川にはたくさん魚もいる」。

しかし、なぜ極北生まれのヴァイキングには見慣れないはずのブドウをティルキルは見分けることができたのでしょうか？　――それは、この小柄な男ティルキルが、ドイツ生まれでブドウの木を見慣れていたからだとか……。

ヴァイキングたちの残した記録は、概して客観的かつ正確な記述で有名なのですが、それらに比べると、この部分はなにか怪しいニオイがプンプンしていますね。

ちなみに当時のヴァイキングもワインの存在は知っていたものの、それは地中海地域から大金を費やして輸入せねばならない超高級酒でした。ですから、レイフは自分が見つけた新しい島に、ブドウがあったというティルキルの言葉を採用します。それが仮に酔っ払いの妄言で、ただの野生のヤマブドウだったとしても、レイフは島を「ヴィンランド」(ブドウの島)と名づけたくなったのでしょう。

しかし、ヴィンランドの「ヴィン」には、古代のノルウェーの言葉で「牧草」という意味もあるそうで、これだとティルキルの証言とは大きく異なります。もしかすると、ある段階で移住者を少しでも多くするためのプロモーションが開始され、そのとき、ブドウの話が盛られた可能性はありますね。

「インディアンとの交戦記録」も残るヴィンランド

「ブドウの島」と名づけたこともあって、ヴィンランドの噂はヴァイキング社会にすぐに広まりました。

ところが、**レイフの弟のソルヴァルド**が改めてヴィンランドの探検をしていると、インディアンと思われる一行に襲われ、両者は激しく交戦せざるをえなくなります。

ソルヴァルドは戦死し、植民計画もしばらく止まってしまったのです。

計画の再開は1010年のことでした。レイフの義理の弟にあたる**ソルフィン・カルルセフニ**たちの見つけた安住の地が先ほどお話しした、現在のカナダの東北岸・ニューファンドランド島北部に位置する、ランス・オー・メドーという漁村のあたりではないかと考えられています。

しかし、現代までの1000年ほどのあいだに、いくら大きな気候変動があったとはいえ、**当地の遺跡から見つかるヴァイキングたちの家は、180センチほどもの厚さの土壁を持ち、それで厳冬期の保温を試みた形跡がある**のです。温暖地でなければ育たないワインの原料であるブドウが実っている土地=ヴィンランドというレイフのネーミングセンスは、あまりにも現実を無視しすぎていました。

その結果、レイフが盛んに宣伝した理想の地・ヴィンランドは「謎の土地」とされたまま、彼は「アメリカ大陸の発見者」という栄《は》えある称号を自分より500年も後のコロンブスに譲らざるをえなかったのです。実に皮肉な話ですね。

薬剤シロップとして売り出されたコカ・コーラに入っていた〝ヤバいもの〟

20世紀はアメリカの時代でした。1776年、イギリスからの独立を遂げた「新しい国」アメリカは、次第にその存在感を増し、ついに20世紀、政治、経済、文化、その他の多くで、イギリスを追い抜き、世界一の大国にのし上がったのです。
そんなアメリカのポジティブな部分を象徴する飲み物が、「**コカ・コーラ**」でした。

歴史的なヒット商品となった「コカ・コーラ」が誕生したのは、1886年5月のこと。アメリカのジョージア州アトランタにあった「なんでも屋」の**ジョン・ペンバートン**家の裏庭で、彼が様々なエキスを煮詰めているうちにカラメル色の液体ができてしまいました。

これをソーダ水で割ってみたところ、後に世界じゅうを元気にする飲み物、「コカ・コーラ」が誕生した……という話も伝わっていますが、あまりにきれいにまとまりすぎています。史実の「コカ・コーラ」はもっと用意周到に企画、製造されたプロダクトのようです。

最初は薬として誕生した「コカ・コーラ」

もともと「コカ・コーラ」は清涼飲料水ではなく、**市販薬の一種か、それに類似した性質のサプリメントとして誕生**しました。コーラの生みの親、ペンバートンも、なんでも屋というより、薬剤師の免許を所有していたものの、本職は市販薬やサプリメントの類を開発、販売している起業家でした。しかし、1870年代になってからの彼はヒット作を出せず、破産宣告を受けたことまであります。弱り目に祟《たた》り目で、火災に2回も遭遇し、家財、商品在庫のほとんどを焼失するという不運にも悩まされていました。

ところが1884年、新発見のコカのエキスを含んだ製品が世間でヒットし始めると、起業家ペンバートンのカンが閃《ひらめ》きました。

✦「インカの聖なる木」の不都合な側面

この頃、「インカの聖なる木」と呼ばれていたコカノキの葉に特有の刺激作用があるという論文が、医学誌に掲載され、世間の注目を浴び始めています。

コカノキの葉っぱを丸めて嚙んでいるだけで、食事や睡眠をとらぬままで長時間の活動が可能になることがアンデス山脈に暮らす人々のあいだでは知られていたのですが、コカの葉っぱから有効成分の抽出に成功したのが、1855年でした。

世界じゅうの科学者、医師たちから、この発見には実に熱い視線が注がれ、「コカを投与すれば、無気力なアヘン中毒者も活力を取り戻せるかもしれない」という期待が広がっていたほどです。

コカノキの葉っぱや種から取れる有効成分とは、平たくいえば**コカイン**でした。当然、麻薬の一種です。しかし、人々はコカの不都合な側面にまだ気づいてはいません。当時、アメリカで一般販売されていた市販薬、サプリメントの多くにアルコール、カフェインといった成分が含まれているのは普通のことで、アヘンやモルヒネが含有されているものさえありました。

「怪しい効果」を謳う薬・サプリが蔓延

19世紀後半のアメリカには、気軽に買える市販薬もしくはサプリメントの巨大マーケットがすでに存在していました。それは医者にかかって高価な薬を処方してもらって飲んでも、ほとんど効かないという現実に多くの人が立腹していたことを意味し、それでも彼らは藁《わら》にもすがる思いで薬理学上の効果を無視した派手な宣伝文句に彩られた市販薬、もしくはサプリメントを買い漁《あさ》っていたのです。

当時の最大ヒット作のひとつ、「リディア・E・ピンカムのベジタブル・コンパウンド」なる製品は、「多くの女性が抱える身体の不調によく効く」とされましたが、後の調査で15～20％のアルコールを含んでいることが判明しました。

要するに**酔っ払って気分が少しよくなったと感じられるだけの代物**だったのです。皮肉なことに、この「薬」を禁酒運動家の女性たちがもっとも熱心に愛好していたという話もあります。

キッド博士なる人物が開発した「エリクシール」なる市販薬もヒットしましたが、その効能書には苦笑せざるをえません。

「足の不自由な人は、これを2、3度服用すれば、松葉杖なしで歩けるようになる。（略）リューマチ、神経痛、さらには胃、心臓、肝臓、腎臓、血液、皮膚の病が、まるで魔法のように消える」

19世紀のアメリカでは新聞というメディアが大成長を遂げていました。それを支えていたのがこの手の怪しいサプリメントの広告です。現在とは異なり、新聞社には広告主の製品をチェックする義務や良識などありませんでした。

当時の人々はアヘン同様、コカインも麻薬で、中毒性があることにはまったく気づいていなかったのですね。さすがに薬剤師でもあったペンバートンが、コカから抽出された成分の「怪しい効果」に無自覚であった可能性は低いでしょうが……。

◆「コカ・コーラ」の開発のヒントになったのは？

史実のペンバートンはいかにして「コカ・コーラ」を開発できたのでしょうか。

「コカ・コーラ」の原型は、なんとお酒だったのです！

この頃、フランス産のワインにコカの葉を6カ月漬け込んでつくる「ヴィン・マリアーニ」なる市販薬が大人気でした。イタリア、コルシカ生まれのアンジェロ・マリアーニという考案者自らが広告塔となり、時のローマ教皇やヴィクトリア女王、トーマス・エジソンなども愛用しているこの「薬」を全世界に広めて回っていたのです。

ある意味これは、**セレブリティを含む全世界の人々が軽いコカイン中毒であったということですね。**時代のニーズを読んだペンバートンは、世間がもっと「元気になれる」市販薬をつくろうと考えました。

ペンバートンは西アフリカ原産のコーラノキから採れるエキスに注目しました。コーラノキの種子にはカフェインが含まれ、現地では伝統的な興奮剤として用いられていたそうです。コカとコーラを合わせ、ワインに漬け込んだペンバートンの自信作**「フレンチ・ワイン・コカ」**は、上々の滑り出しを見せました。

しかし運が悪いことに、禁酒の気風がアメリカ社会に高まり始めていたのです。ペンバートンはフレンチ・ワイン・コカの薬用成分を瓶詰めのシロップにして、炭酸水と併売することを閃き、難を逃れました。

あくまで薬用効果を謳って販売したかったのには、サプリ、市販薬ブームに沸いていたアメリカでは、薬剤であることを仄めかして売ったほうが、販売成績が見込めるという計算があったのだと思われます。

◆「薬剤」↓「清涼飲料水」へのチェンジは節税対策

19世紀末のコカ・コーラの広告。コカイン入りで気鬱も晴れ、頭痛の特効薬としても人気を博した

1886年になると、「コカ・コーラ」という商標が決定しました。ペンバートンの知り合いのフランク・ロビンソンの「Cが2つ並ぶと、広告で見栄えがするのではないか」という意見が採用されたからです。発売当初のキャッチコピーは「コカ・コーラ。美味しい！　爽やか！　楽しくなる！　元気になる！」。たしかにコカイン入りなので気鬱も晴れたでしょうし、頭痛の特効

薬として根強い人気を得られました。

ところが、ペンバートンは「コカ・コーラ」の大成功を見届けた後、1888年8月16日、がんを患って亡くなり、「コカ・コーラ」の商標や販売権は2300ドル……つまり、現代の日本円で1000万円足らずというお手頃価格で、エイサ・キャンドラーという投資家に譲られました。

その後もしばらく、コカ・コーラはシロップ状の薬剤として販売され続けました。

しかし、怪しげな市販薬が横行する現状を憂えた当局が、1898年以降、市販薬やサプリメントの類に課税することを決定したのをきっかけに、シロップを炭酸水に混ぜ、瓶詰めにしたものを清涼飲料水として販売することになりました。

つまり、**「コカ・コーラ」が清涼飲料水になったのは、節税対策だったのです。**

ちなみに「コカ・コーラ」のレシピは現在でも企業秘密で明かされてはいませんが、すでにコカ（イン）が含まれていないことだけは公式に認められています。

「コカ」がもともと「コカイン」だったと知っている人は少なく、何かの人名か地名だったと思っている人のほうが多いでしょうが、厳密にいえば、コカイン抜きの「コカ・コーラ」はもはや「コカ・コーラ」ではないのです。

「社会における女性の地位」がクリアに見えてくるメガネの歴史

メガネを外した女性に向かって、「そのほうがよい」とひと言……今となっては、古典的な少女漫画のセリフのように感じられるやりとりです。しかし、メガネが女性の美しさを損ねるとされてきた歴史はかなり長く、女性に生まれると、メガネさえ堂々とかけることが許されない時代が続いたのは事実なのです。

メガネの歴史はかなり古く、その誕生地としては古代中国説や、中世イタリア説など複数があります。

しかし、現代のメガネに通じる「発見者」だと考えられているのは、中世イングランドの**フランシスコ会修道士ロジャー・ベーコン**で、1267年の記録には、凸レンズによる拡大作用を、老眼の視力矯正に役立つと考えたような形跡があります。

それから約20年後、イタリア、フィレンツェのドミニコ会修道士のアレッサンドロ・デラ・スピナ、あるいはジョルダーノ・ダ・リヴァルトのどちらかが、ヴェネツィアの高いガラス加工技術を用いたレンズを有するメガネを完成させたといわれます。

◆祈りと禁欲に生きた修道士とメガネの関係

当初、メガネを使用するのは40代以上の修道士たちが中心でした。彼らは徹底的に節制して、祈りと禁欲の日々に生きたがゆえに、好き放題に生きたほかの人々に比べ、比較的、長命な傾向がありました。

中世ヨーロッパの一般的な人々の平均寿命は25歳から30歳程度にとどまっていましたが、聖職者の平均寿命は当時から40歳を超えていたのです。

しかし、40代に入ることは、彼らにとっても人生の終末期を意味しており、老眼が進んで視界が奪われる者たちも多い中、メガネはそうした**人生最後の日々の苦痛を少しでも和らげる道具**として重宝されました。

残念ながら、最初期のメガネは現存していません。それに、男性聖職者同様、尼僧たちも長命であったのにもかかわらず、彼女たちのメガネにまつわるデータは見つかっていません。

メガネが非常に高価だった当時、やはり男性が優先されたのでしょうか。ここを見る限り、信仰の世界にも男尊女卑があったことがうかがえます。

女性はいつ、メガネを手に入れたのか

近眼用の凹レンズを持つメガネの登場はさらに遅れ、15世紀になってからのことでした。この当時、ヨーロッパでもっとも富裕な先進国であったスペイン王国では、金のフレームを持ったメガネが登場しており、知的さをアピールするファッションアイテムとして、上流階級の男性を中心に使われていたそうです。

しかし、それ以外のヨーロッパ諸国におけるメガネとは、やはり**非力な老人を象徴するもの**にすぎませんでした。

また、この時代においても男性同様に視力に悩む女性たちも多かったでしょうが、彼女たちがメガネにありつけたのは、さらに100年経った、16世紀以降のことです。

そして、ヨーロッパにおいて、メガネの大衆化が進むのは17世紀に入ってからでした。

都市部ではメガネを専門に販売する業者が登場し、農村部にはカゴに入れたメガネを売り歩く、メガネ行商人が現われました。当時のフランドル（現在のオランダ、フランス、ベルギー地方）の版画にも多くのメガネ売りの商人が描かれ、この頃には、ようやく広い階層の女性たちも（やや）クリアな視界を手に入れることができたようです。

ただ、上流階級の女性がメガネをかけた肖像画を残す例はなく、そこからもメガネは「女性の美しさを損ねるものだ」という認識が根強かったことがうかがえます。

✦ようやくファッションアイテムに

そもそも17世紀くらいまで、最先端の流行のおしゃれを愉《たの》しみ、身を飾る権利を享受できるのは上流階級の男性たちに限られていました。

女性が、男性の引き立て役ではなくなったのは、「啓蒙と女性の時代」といわれる18世紀になってからのことです。それからは、ヨーロッパの上流社会において、メガネは急速に女性のファッションアイテムとして注目を集める存在となりました。

とはいっても、彼女たちはメガネをかけたのではありません。たとえばネックレスのようにして首から吊るし、必要なときだけ手持ちで使う、宝飾品の一種として、使い始めたのでした。

当時のメガネには様々なヴァリエーションがあり、たとえば1782年、マリー・アントワネットに献上されたメガネは、扇の要《かなめ》の部分にレンズがついていました。小さな文字を読んだり、美術品を見たりしたいときなどには拡大鏡がわりに役立ったかもしれませんね。

また、18世紀においては、現在のフレーム型のメガネの先祖にあたる、フレームが太い（現代人がかけると野暮ったい）デザインのメガネが、目を酷使する学者や芸術家といった職業の人々に愛用されるようになりました。

当時、フランスに根づきつつあった中産階級の質朴《しつぼく》な生活を描いて、「良識の画家」と呼ばれた**ジャン・シメオン・シャルダン**の自画像は、あえてその手のメガネをかけた顔で描かれています。

「良識の画家」ジャン・シメオン・シャルダンの自画像

　それによって、彼自身が「知的であること」を「ファッショナブルであること」よりも重視しているという強いメッセージが読み取れるのです。

　一方で、彼らとは異なり「ファッショナブルであること」を最高の価値だと考える男性たちは、女性同様に、宝飾商につくらせた一点ものの手持ちグラスを愛用していました。

メガネによって示される価値観

　こうした「知的であること」と「ファッショナブルであること」が対立するという価値観は、メガネというファクターを通して見る限り、20世紀初頭においても続きました。
18世紀の高貴な人々が使っていた、オペラグラス型の手持ちメガネのデザインが発展したのが、いわゆるモノクル（片眼鏡）。このタイプのメガネは、知的な男性を象徴するものでしたが、これを「新しい女」こと、フェミニズムの先駆者たちが好んで使うようになったのは興味深いことです。

当時においても、手持ちメガネならともかく、顔にメガネのレンズを輝かせている女性を男性は喜んで口説かないというのが「常識」とされていました。

なかにはそれを逆手にとって、モノクルを愛用することで、自身を男性からのプロポーズを望んでいない女、もっというとレズビアンであると暗に仄めかした女性たちもいたそうです。メガネに途方もない「意味」が与えられた時代もあったのですね。

今や女性向けのメガネには、男性向け以上にデザイン上のヴァリエーションが見られ、女性がどんなメガネをかけていても、奇異の眼差しが向けられることはなくなりました。見えるようで見えにくい、社会における女性の地位というものを何よりもクリアに見せてくれるのが、メガネなのかもしれません。

Column
コラム

ドイツびいきの東京帝大医学部が「絶対に認められなかったこと」

かつては猛威を振るって恐れられながらも、いつの間にか「鳴りを潜《ひそ》めた」病というものが、歴史の中にはたくさんあります。

脚気《かっけ》などはその代表格ではないでしょうか。原因はビタミンB_1の不足です。足元がふらつく病気で、足元がしびれ、むくんで痛むので歩行がふらつく病気で、原因はビタミンB_1の不足です。しかし、明治時代の日本では、脚気は未知の細菌による伝染病として扱われていました。それが旧帝大のトップである東京帝国大学医学部（当時は東京帝国大学医科大学）による公式見解だったのです。

ドイツの天才細菌学者コッホの発見を通じて、細菌という目には見えない何かがそこらじゅうに存在しており、集団で、同じ症状を呈する病が現れたとき、その原因をなんでも細菌のせいにしてしまう……そんな思考停止が20世紀初頭の世界じゅうの医学者たちに生じていました。

わが国の東京帝国大学医学部も、ドイツへの留学組が幅を利かせており、「医学といえばドイツ」という傾向が強すぎて、ドイツ生まれの学説が真実かどうかを自分の手ではまともに検証せずに無批判で受け入れていたのです。

◆なぜ「日本陸軍」は海軍と違って脚気に苦しみ続けたか

その一方、**イギリスで医学を学んだ高木兼寛《たかきかねひろ》**は、ドイツびいきの東京帝国大学医学部の学者にありがちな「細菌学」の制約からは自由で、新しい発想を持っていました。

高木は英国海軍の水兵たちに脚気がほとんど見られないことから、西洋風の食事こそ、脚気防止の有効策ではないかという仮説を打ち出します。しかし、当時の日本全体でいうと、イギリス医学よりも、脚気細菌原因説を主張するドイツ医学への支持が高く、高木への注目度は低いままでした。

そんな中、高木は宮中のツテを頼り、慢性的な脚気に苦しんでいた明治天皇の食事を西洋風に改めてもらうことで、脚気治療に成功するなどの実績を積みます。そして日本海軍は高木らの提案を受け、明治18（1885）年頃から、食事を麦飯とした結果、脚気の患者数はほぼゼロにまで減りました。

しかし、日本陸軍は麦飯を出すことを拒否しました。貧困層の男性に入隊してもらう魅力のひとつとして「兵隊になれば白いご飯が腹いっぱい食べられる」ことを打ち出していた日本陸軍は、東京帝大医学部と結託して、白米を出し続けていたのです。

また、日本海軍で脚気の患者数がほぼゼロになったという実績を見ても、東京帝大医学部の重鎮たちは、「ドイツの医学こそが超一流だ」と盲目的に信じたままで、高木らの西洋食推しや麦飯推しのスタンスに真っ向から不快感をあらわにしました。

そもそも東京帝大医学部の重鎮たちの師は、ドイツから派遣されたエルヴィン・フォン・ベルツという「お雇い外国人」です。

ベルツは特殊な細菌が、脚気を引き起こしているという説を唱えていましたから、「偉い」ベルツ先生に逆らわないことは、タテ社会である医局でうまく生き抜くための処世術だったのです。

◆北里柴三郎の〝下剋上的主張〟に森林太郎は――

明治18年4月、東京帝大・衛生学教室の緒方正規《おがたまさのり》が、「脚気菌」を発見したと発表すると、これは細菌学派にとってはうれしいニュースになりました（ぬか喜びのフェイクニュースでしたが……）。

この緒方のいう「脚気菌」に対し、その菌は脚気とは無関係だとする論文を発表したのが**勇気ある北里柴三郎《きたさとしばさぶろう》**だったのです。

細菌学派に敢然と反論した
北里柴三郎博士

北里は帝大医学部に入学後、細菌学の本場ドイツに留学すると、細菌学の権威・コッホ博士から直接学んで帰国したエリートです。

しかし、北里にとって緒方

は日本での師にあたる人物で、北里の下剋上的な主張は、保守的な医学界に大混乱を引き起こしてしまったのです。

そのうえ、北里にとってはさらなる大先輩にあたり、東京帝大出身で陸軍軍医のお偉いさんである**森林太郎**《もりりんたろう》（作家としてのペンネームは**森鷗外**《もりおうがい》）が、なぜかしゃしゃり出てきて、北里を真っ向から批判する文章を発表し始めました。森いわく、

「先輩たる緒方博士に対して憚《はばか》るさまもなく、（北里博士が）おのが意見を述べしを恩少なし」

「職（＝真実を探求しようという医学博士の仕事）を重んぜんとする余りに果ては情を忘れしのみ」

つまり、北里の学説が真実であろうと、先輩をないがしろにした北里の態度に、森はケチをつけているのです。しかし、その行為自体を異様とも感じない彼の態度こそ、医局というタテ社会にありがちな、恐るべきパワーハラスメントの実例といえるでしょう。

◆戦死者よりも脚気で亡くなった人が多かった「日清戦争」

海軍は麦飯になって久しいのに、ドイツびいきの森林太郎が医学関係の重職を務める陸軍では相変わらず米の飯だけが、ほぼ副菜もないままで提供され続け、大量の脚気患者を生み出し続けました。

こうして悲惨なことになったのが日清・日露の両戦争です。いずれも日本側が辛《から》くも勝利を収めましたが、日清戦争時の脚気患者は3万人。そのうち1860人が亡くなりました。

戦死者は977人、戦傷者は3699人（うち死亡者293人）なのですから、戦闘よりも脚気で亡くなる人のほうが圧倒的に多かったという惨状でした。ドイツ医学の仮説だけを重視し、実地研究を無視したあげく**「脚気は伝染病である」という森林太郎率いる陸軍医局の掲げた誤方針が、多くの人々の命を脚気で奪った**のです。

さらに、日露戦争時の脚気患者はなんと25万人にも達し、脚気による死者はそのうち2万7000人。ちなみに戦死者は約4万6000人……。

脚気という病の存在は、ビタミンB_1を食事で日常的にとれている国では、ほぼ知られていません。ですから、脚気の症状でふらつきながら戦っている日本兵の姿はまるで、外国人の目には「酒に酔って戦争している」ようにさえ見えたといいます。まともに歩けないのに銃を持たされ、戦わされるとは……恐ろしいのひと言です。

◆「細菌学」の祖・コッホが実地調査に乗り出すと……

日露戦争後、ようやく事態は動きました。全世界における「細菌学」の祖であるドイツのロベルト・コッホ博士が、実地調査に乗り出したのです。しかし、それはコッホが唱える脚気細菌説の正しさを証明したいという結論あっての調査でした。

調査の舞台に選ばれたのはインドネシア。そこは国民の大半がイスラム教徒の国です。ビタミンB_1が豊富に含まれる豚を食べず、白米中心の食生活という、かなり偏った食文化があった国で、白米至上主義の当時の日本とは近いといえました。

調査委員会が組まれ、インドネシアに派遣されたクリスティアン・エイクマンという陸軍軍医は、衝撃的なものを見てしまいます。病院で出される白米の残飯だけをエサに育てられているニワトリが、まるで脚気を患っている人間のように、よろめきながら歩いているのです。

この〝**よろめくニワトリ**〟のおかげで、エイクマンは脚気の原因が細菌などではなく、栄養の偏りだったと気づき、脚気患者の主食を玄米に切り替えました。すると、脚気はきれいに治ってしまったのです。

しかし、エイクマンから期待とは正反対の報告書を受け取ったコッホの弟子たちは、脚気細菌説を唱えるコッホ先生に失礼だと怒り、エイクマンをお役御免にしてしまうのでした。どこの国でも医局の体質は同じなのでしょう。

◆医局にとって「真実の追究」よりも大切なのは保身？

エイクマンの発見と同じ頃、日本でも東京帝国大学農科大学（現在の東大農学部）の鈴木梅太郎《うめたろう》教授が、白米しか与えられていないハトの足元がやはりふらついていたことから、米ぬかの中に含まれる物質（鈴木は「オリザニン」と命名）に脚気を予防する役割があるという研究結果を発表しました。明治43（1910）年のことです。

これが後に、「ビタミン」と命名される栄養素のひとつとなるわけですが、そのときも東京帝大医学部の重鎮たちは「ヒトと鳥は違う」とバカにして笑っているだけでした。

その翌年、カジミール・フンクというポーランドの生化学者が米ぬかの有効成分を抽出し、それに「vitamine」と名づけてしまいました（いわゆるビタミンB_1）。つまり、ビタミンの発見に日本人は間接的にしか寄与できなかったのです。

真実が何かを追究するのではなく、大先生の学説と名誉を守り、保身に必死な医局の体質は、病気でない人にも寒気を催させます。

6章

戦慄！「人間の本性」が露《あらわ》になる瞬間

……冷酷、非情、無惨――背筋も凍る歴史秘話

漢の高祖・劉邦の皇后・呂雉の「あまりに罪深い所業」

漢の高祖こと劉邦《りゅうほう》の皇后となった**呂雉《りょち》**が生きた紀元前3世紀～前2世紀にかけての中国は、戦乱の連続でした。彼女は自分の人生のうち、若く、美しかった時代を苦難と不安の中で過ごしたのです。

たしかに呂雉の夫の劉邦は数々の仲間たちの手助けによって中国を統一、漢王朝を打ち立てる偉業を成し遂げ、出世しました。しかし、劉邦の女癖のあまりの悪さに、呂雉は大きな不満を抱えながら暮らさねばなりませんでした。それでも劉邦との間に授かった二人の子のうち、**劉盈《りゅうえい》**が皇太子であるという事実だけが、呂雉の心の慰めであり、プライドだったようです。

ところが、晩年の劉邦は、愛人の戚《せき》夫人に**劉如意《りゅうにょい》**という男子を産ませると、「この子をこそ、皇太子にする」と言い出し、劉盈の廃位を画策し始めます。宮廷の重臣たちがいくら諫《いさ》めても、劉邦は聞き分けようとしません。また、儒教の道徳では、夫が生きている限り、その方針に妻が逆らうことは許されないのです。

✦愛する息子が皇太子を廃嫡に⁉ 呂雉がとった作戦とは

このままでは自分が生きた証ともいえる、息子の劉盈が皇太子ではなくなってしまう……。困り切った呂雉は、かつて劉邦を皇帝の座に押し上げたブレーンの**張良《ちょうりょう》**という男を思い出します。彼はすでに政治の場を離れ、仙人になるための修行中でした。

呂雉からの使者を前にした張良は、世俗の面倒事など煩《わずら》わしかったのでしょう、「男女の愛情のことはどうしようもない」と関わりを避けようとしました。

それでも食い下がる呂雉の使者に困った張良は、劉邦がかつて政治顧問として迎えようと思っていた高士《こうし》（＝徳の高い学者）たち4人を呼びつけました。そして、彼らに劉盈の政治顧問になってもらいなさいというアドバイスをしてくれたのです。

彼ら4人は、皇帝になってからの劉邦に目立ち始めた横暴さに批判的で、劉邦からの「政治顧問になってほしい」というオファーは拒絶しています。こんなときだからこそ、彼らは力になってくれるに違いない……と思った呂雉はすぐに高士たちを呼び寄せ、手厚くもてなし、劉盈の顧問とすることに成功しました。

劉邦は、自分がどうしても招聘《しようへい》できなかった4人の高士が、劉盈についている姿を見て、劉如意を皇太子にする野望を捨てました。戚夫人は悲しみましたが、それが皇帝の意思であれば、どうしようもありません。

それからしばらく経った紀元前195年、劉邦は61歳で亡くなりました。

◆皇太后となった呂雉の〝剝き出しの欲望〟

劉邦の亡き後、4人の高士に支えられた皇太子・劉盈は、恵帝《けいてい》として即位することができました。**呂雉の身分はいまや皇太后で、宮廷の最高権力者です。**とはいえ、息子の恵帝はよくいえば「おっとり」、悪くいえば「ボンヤリ」としており、呂雉は心配を捨て切れませんでした。

一方で、戚夫人が生んだ劉如意は、趙王《ちようおう》に封じられていましたが、世間では彼のほうが恵帝よりもはるかに利発で、皇帝の器にふさわしいという噂が流れるほどでした。

これを伝え聞いた呂雉は激怒します。そして「愛するわが子のため」という建て前はあったにせよ、劉如意を宮廷に呼び寄せて殺そうと画策し始めたのでした。

つまり、宮廷の最高権力者といっても過言でない皇太后という地位に立った今、女として不遇だった自分の人生への怨《うら》みを、亡夫の愛人やその子供を殺すことで晴らしたいという欲望に勝てなくなってしまったのです。

その最初の犠牲になろうとしていたのが劉如意でした。

愛人が産んだ男子たちの毒殺に成功

しかし、呂雉の計画はいつもあと少しのところで失敗し続けました。劉如意の家臣たちが優秀で、呂雉の真意を見抜き、宮廷からの誘いをうまくかわし続けたからです。

それでもあまりに執拗な呂雉の誘いを断りきれなくなった劉如意や、ほかにも呂雉が生命を狙っている、かつて劉邦が愛人たちに産ませた男子たちがそろって宮廷に姿を現わすと、呂雉は彼らにふるまう酒の中に毒薬を仕込みました。

母親の行為に気づいていた恵帝は、それが毒入りの酒であることを知りながら、自分も弟たちと分かち合おうとします。困った呂雉は、毒酒の入った器を倒して回りました。その場にいた誰もがすべて知っているのに、何も知らないフリをして、呂雉の奇行を見守っているのです。

辱められたと感じた呂雉は、心の底から沸き上がってくる殺意を抑えられません。そこで次は恵帝が狩りで宮廷を離れたスキを狙い、**劉如意など側室が産んだ男子たちの毒殺に成功します**。恵帝との関係がこじれることなど承知の上でした。もはや自分を止めることができなかったのです。

◆憎き戚夫人を捕縛――両目をくりぬき、両手両足を切断――

さらに呂雉は亡き劉如意の母である、あの憎き戚夫人にも手を伸ばします。彼女を捕縛すると、両目をくりぬき、両手両足は切断、薬で声帯と耳の機能を奪った上で肥《こえ》溜《だ》めに放り込みました。当時、豚に人糞を餌がわりに与えて飼う習慣があり、それを戚夫人という「人豚《ひとぶた》」で代用しようという趣向です。前194年のことでした。

ちなみにこれらは、**中国第一の「正史」としての扱いを受けている司馬遷《しばせん》の『史記《しき》』に記された話**です。誇張されているとは思いますが、呂雉が相当なことをしでかし続けたのは事実でしょうね。

彼女は無惨な戚夫人の姿を恵帝にも披露しましたが、彼は喜ぶどころか母親の罪深い所業の責任を感じ、苦しむだけでした。

政治の中枢に居座り、粛清に次ぐ粛清!

母親の無体なふるまいに、恵帝の酒量は増える一方で、前188年、22歳の若さで死んでしまうのです。息子の葬儀で呂雉は大いに嘆いて見せますが、いくら泣こうとしても彼女の目から本当の涙がこぼれ落ちることはありませんでした。人間の心をもはや失っている呂雉が、泣けなくなってしまっていたという逸話は象徴的です。

それからも、呂雉が劉邦の遺児たちの殺人をやめることはありませんでした。どうしても殺せなかったのは、亡くなった恵帝が、愛人女性とのあいだに授かっていた男の子です。そのため、呂雉はその子の母親を先に殺してから、彼を第13代皇帝として即位させることにしました。いわゆる「前少帝《ぜんしょうてい》」です。正史は彼の生年や諱《いみな》さえ正確に伝えていません。

夫・劉邦の死から15年もの間、呂雉は政治の中枢に居座り、粛清に次ぐ粛清を繰り返したあげく、紀元前180年に61歳で亡くなりました。愛しながらも憎んでいた夫・劉邦が亡くなったのと同い年の死でした。

北条政子の「悪女伝説」もかすんで見えてくる？

わが国最初の武家政権である鎌倉幕府は、その公式史である『吾妻鏡《あずまかがみ》』の中で、幕府創建時の「ゴッドマザー」である**北条政子《ほうじょうまさこ》**を讃えようと、**「前漢の呂太后（呂雉）と同じように天下を治めた」**という言葉を使っています。

政子の夫の源頼朝《みなもとのよりとも》にも多くの愛人女性がおり、政子の場合、彼の生前から堂々とその愛人女性や、彼女たちが産んだ子の迫害を行ないました。

政子に存在を憎まれ、関東から遠く関西にまで追いやられてしまった貞暁《じょうぎょう》という僧がいました。頼朝が大進局《だいしんのつぼね》という女性との間にこっそりと儲けた子です。

長年の音信不通は突然、政子から破られました。

高野山の寺まで貞暁を訪ねてきた政子に「あなたには還俗《げんぞく》して、鎌倉殿を継ぐ意思はありますか？」と訊ねられると、彼は即座にこれを否定し、自分の言葉が嘘ではない証に左目を小刀でえぐって見せたそうです。

これはさすがに後世の創作でしょうが、いかに政子が恐れられていたかがわかります。そんな政子を「前漢の呂太后と同じように天下を治めた」とする『吾妻鏡』の言葉には、少なからぬトゲを感じずにはいられませんが……。

とはいえ、夫がいるあいだはよい妻の仮面を被り続け、彼の死後に夫の愛人や子供たちの生命を奪って回った呂雉と、夫が見ている前で、その愛人や子供たちを殺しはしないものの、迫害し続けた政子とでは、どちらが「悪女」と呼ばれるのにふさわしいのでしょうか。

絵画によって暴かれた「戦艦メデューズ号」のおぞましい真実

1814年にナポレオンが失脚した後、フランス国民はかつて追放したブルボン家を王座に呼び戻します。フランス革命によって誕生した共和制ではなく、フランスは再びもとの君主制に戻ったのでした。

こうして「王政復古の大号令」がくだされてから2年めの1816年、フランス国王ルイ18世は、イギリスでの長い亡命生活を終え帰国したユーグ・デュロワ・ド・ショマレー子爵を、**戦艦メデューズ号**の艦長に任命しました。

ルイ18世とその政府は、かつてルイ15世時代に失われ、そのまま約60年も放置されてしまっていた**アフリカ北西岸にあるセネガルの植民地再建**を急いでおり、そのような国家の大事こそ、由緒正しきフランス貴族の指導によって行なわれるべきだと考えました。

自称・海軍軍人にすぎないショマレーが艦長に就任できたのは、その血統の正しさと、彼がルイ18世の弟のアルトワ伯爵と知り合いだったからのようです。

しかし、容貌が上品で家柄だけはよかったにせよ、小太りで鈍感なショマレーという中年男を、難易度の高い国家的プロジェクトのリーダーとして抜擢したのは、国王政府の愚策中の愚策でした。海軍軍人といっても、彼は25歳のときには海上勤務から遠ざかっており、その後、20年近く船など操ったこともなければ、海図の読み方さえ知らない人物だったからです。

座礁した船を見捨てて逃げ出した艦長

1816年7月2日の真昼、ショマレーの誤った指揮のせいで、航海中のメデューズ号はアフリカ、サハラ地方西岸のアルグーイン岩礁《がんしょう》（モーリタニアのアルガン岩礁）に乗り上げてしまいます。

船体は三度も岩礁に突き当たり、船体をめり込ませるようにして止まったわりには大きな外的損傷はなく、満潮を待って岩礁から離れることができたのなら、近くのサン・ルイ港までの航海はこなせそうでした。

しかし、そう都合よくことが運ぶわけではありません。試行錯誤の末に失敗した結果、乗員たちに向かって、ショマレーは驚くべき提案をします。船が大きく重すぎて、岩礁から離れられないので、**船体から木材を切り出して巨大な筏《いかだ》をつくろう**というのです。

一般的にいう艦長の義務とは「自分の船を見捨てないこと」が第一なのですが、ショマレー艦長は自ら進んでメデューズ号の解体に取り組みました。

さらにショマレーは、実務経験豊かな部下の将校たちの助言は軽視し、リシュフォールという詐欺師の見本のような男と仲よくなり、彼の絶え間ないおしゃべりに翻弄されました。

最終的には船に備えつけられていた避難用のボートにも、自分とお気に入りのリシュフォールだけで乗り込み、まだ18人分も空きがあったにもかかわらず、そのままサン・ルイ港を目指して逃げ出したのでした。

一般的な艦長なら、そのボートに将校を乗せ、比較的近くのサン・ルイ港まで向かわせ、救護班の到着を待つはずなのですが、ショマレーにそうした判断を行なえるだけの良識と理性などはありませんでした。

✦生存者たちが犯した「人類最大のタブー」

艦長から見捨てられた147名もの人々の内訳は、4人の陸軍将校、120人の兵士、15人の海兵、8人の一般人（1人は女性）でした。筏には地図や航海用の機材は何ひとつなく、もともと帆柱さえメデューズ号から拝借したもので間に合わせていたほどです。それでも三角帆を張ると、風があるときだけは進むようにはなりました。

7月5日、筏が浸水すると、その日の夜から早くも地獄が始まります。筏は沈み始め、一度は海上で横倒しになりました。筏に乗った147名のうち、多くの人々が一瞬で海中に消え、残った者はパニックに陥り、幻覚さえ見え始めました。

翌日以降はさらに事態が悪化します。「心配いりません、助けを呼んできます！」といって海中に飛び込んで戻らない者、刀を振り回してパンや鶏肉を要求する者、入水自殺をする者、殺し合いを始める者……。

命尽きた者たちは当初、次々と海に捨てられましたが、後には病気の者、負傷した者でさえも「苦悩をする時間を縮めてやる」という理由で、殺されて海に投げ込まれるようになりました。

とうとう食物や飲み物が残り少なくなると、彼らは**人類最大のタブーを犯してしまったようです**。生存者たちは、この点に関する証言を拒否して沈黙していますが、飢餓を訴えた者は存外に少なく、渇きに苦しめられたという声だけが多いのは、なぜなのでしょうか。

◆幻覚か？　視界の彼方に浮かぶ船

ぶどう酒の蓄えがすべてなくなった7月17日の朝、デュポンという男が「船が見えた」と叫びました。例によって幻覚かと思いきや、本当に彼らの視界の彼方に船が横切っていくのが見えたのです。しかし、皆の歓喜は一瞬で絶望に変わりました。船は、この悲惨な筏の存在に気づかなかったらしく、そのまま水平線の向こうに消え去っていってしまったのです。

力尽き、へたり込んだ一行には声を出す元気もなく、沈黙の中で、これは自分たちが犯してきた罪への罰なのだと感じていたそうです。

「彼らのうちの多くは、もう諦めをつけていた。船の通過は、突然彼らに文明社会とその掟《おきて》を思い起こさせ、彼らが犯した残虐な行為の罪の重さを感じさせたらしかった」（豊島與志雄「メデューズ号の筏」『世界ノンフィクション全集44』筑摩書房）。

ところが――午前8時、昇りゆく太陽が光り輝く空と水平線の向こうから、筏に近づいてくる船舶の姿が見えました。クールタードという男の「助かったぞ……船だ、船だ……こっちにやって来る！」という狂喜の叫びを聞いて、生存者たちは泣きながら抱き合い、ひざまずいて神に感謝したそうです。

しかし、すぐ後に彼らは、神の気まぐれを呪うことになったでしょう。

生き残ってしまった者たちの〝末路〟

サン・ルイ港にたどり着いた生存者15人は当地の病院に収容されますが、そこで6

人が亡くなりました。サン・ルイの病院は不潔さと不適切な処置で有名でしたから、「助かった」と喜んでいたクールタードも、ここで殺されるように死んでしまいます。

しかし、それでも生き残ってしまった9人のほうが、さらに不幸でした。筏が調査されると、「筏の帆柱を支える繋ぎ綱には、日に乾された肉の細片がたくさんついていた」ことが見つかってしまったからです。

「共食い」という人類最大のタブーを犯して生き残った9人に対し、世間の反応は冷ややかでした。

生存者9人のうち、最初に船を見つけたデュポンを含む7人がフランスへの帰国を断念し、セネガルに残留すると、そのまま「つまらない生涯を送った。過去の秘密の不安な影が、常に彼らにつきまとっているかのようだった」（前掲書）そうです。

2人だけが蛮勇を発揮し、フランスに帰国しましたが、軍医のサヴィニーは失職、技師だったコレアールは仕事を見つけることができず、何を思ったのか、「メデューズ難破書房」なる本屋を開いて潰し、破産してしまいました。

一方で、筏を見捨てて生き延びたショマレー艦長はどうなったのでしょうか。

1817年2月24日、ロシュフォール軍港における海軍軍法会議の結果、彼は有罪となり、レジオン・ドヌール勲章を含むすべての名誉を奪われました。わずか3年の懲役刑でしたが、その後は死ぬまで城に閉じこもり、息子も自殺しています。

処刑されてもおかしくはなかったでしょうが、それでは世間の注目を浴びてしまいます。メデューズ号の事件の深刻さに気づいていた国王ルイ18世と政府は自分たちの任命責任が問われるため、詳細の隠蔽を決定していたのです。

しかし……彼らにとってはつくづく運が悪いことに、時は**ロマン派全盛期**でした。芸術の概念が大きく変わりつつあり、人間の暗部こそを表現したいという芸術家たちが現われていたのです。

ロマン派の創作欲に火をつけた「メデューズ号の遭難事件」

ロマン派の画家、**テオドール・ジェリコー**もその一人です。ブルジョワ一族の出身で、美形のスポーツマンではありましたが、見た目とは対照的に彼の内面は暗い情熱に支配されていました。

彼はこのとき、1810年にギロチンで処刑された男の頭部を『処刑された男の首』（ストックホルム国立美術館所蔵）という油彩画に完成させており、すでに流血と暴力というテーマに密《ひそ》かに取り憑《つ》かれてしまっていたのです。

そんなジェリコーがメデューズ号の遭難事件に食らいついたのは必然です。1818年から翌年にかけてのジェリコーはこの事件の情報を集め、関係者から声を聞き、処刑場や病院から人間の四肢をアトリエに運び込み、ほとんど外出することもなく、それらが腐敗していくさまを熱心に観察して描いていたのでした。

おぞましい習作を積み重ねた末に完成したのが『**メデューズ号の筏**』（ルーヴル美術館所蔵）です。

1819年の「サロン・ド・パリ」（官展）に、確信犯的に出品されたこの画を見せられたルイ18世は嫌悪感を隠せませんでしたが、ルーヴル美術館による買上げを認めています。その真の目的は、絵画の封印でした。

これに抗議したジェリコーは、作品を取り戻してイギリス、ロンドンで展示し、評判を呼びました。

テオドール・ジェリコー作『メデューズ号の筏』。
この“問題作”により国王と政府の権威は失墜した

すると、メデューズ号事件の最大の黒幕……つまり、王室関係者のショマレーという自称・海軍軍人を簡単に信用し、無能な彼を艦長に取りたて、困難な国家プロジェクトに起用してしまった国王と政府に非難が集まります。

ついに彼らの権威は失墜し、その責任をフランスの国内外に認めざるをえなくなったのでした。

フランス革命前であれば、一人の画家が、国王とその政府の方針に物申すことなどありえなかったでしょう。

しかし、すでに時代は確実に変わっていたのです。

ピルグリム・ファーザーズ入植と「感謝祭」の裏で起きていた残虐事件

1620年12月22日、小さな帆船がアメリカに着きました。そこは、現在ならボストンから南に1時間ほど車を走らせたところにある「プリマス」という小さな港町の浜辺です。しかし、イギリスを発ってから2カ月ほどの航海の末のことでしたから、狭い船室に閉じ込められていた船員、乗員あわせて102名の男女は、この到着地がどこなのか、具体的にはわかっていなかったと思われます。

アメリカ大陸東海岸のどこかにつけば御の字という、適当すぎる航海の末に上陸できた彼らは、後に「ピルグリム・ファーザーズ」と呼ばれるようになりました。ピルグリムたちは、イギリス国王から信仰の弾圧を受け、新大陸アメリカを目指すことになったとよく説明されますが、それは事実とは大きく異なっているようです。

ピルグリムたちが新大陸に入植したワケ

乗員80名あまりのうち、「信仰の自由」を求めてアメリカ移住を決めたのは、ほぼ半数程度の**「聖徒《せいと》」（セイント）**と呼ばれる男性17名、女性10名、子供10名の合計41名のグループだけです。

残りは「聖徒」から「ヨソモノ」（ストレンジャー）と呼ばれる男女と子供たちでした。「ヨソモノ」とは、航海に必要な資金を提供してくれたスポンサー会社が用意した人員のことです。

「聖徒」たちはビジネスに疎《うと》いのか、「新大陸に着いてからの彼らの収入のすべては入植から7年にわたって、スポンサーであるロンドンの商人トーマス・ウェンストンの収益になる」という「奴隷契約」まで結ばされての渡米でした。

ある一面から見れば、ピルグリムたちは新大陸の開発で儲けたい投資家の駒《こま》として、アメリカを目指させられたにすぎないのですね。

おまけに「ヨソモノ」たちの大半はイギリス社会のあぶれ者で、「聖徒」とは水と油、プリマスでの彼らとの共同生活は貧困、不倫、売春といったトラブル続きでした。

そんなピルグリムたちでしたが、プリマス周辺のインディアンとの友好的な関係は40年ほど続きました。そのごく短い期間の平和な日々の出来事が、現在に続くアメリカの国家的行事である「感謝祭」（サンクスギビング）の源流だとされているわけです。しかし、がっかりさせられることに、このエピソードにほとんど歴史的根拠はありません。

✦「インディアン」との交流が生まれた背景

たしかにピルグリムがプリマスに入植してすぐ、インディアンとの交流は生まれました。両者に言語の問題は生じなかったのでしょうか？　この問題はかなり興味深い方法で乗り越えられていました。

1621年3月16日、アメリカ大陸での最初の厳しい食糧難の冬を乗り越えたピルグリムたちのもとに、サモセットという名のインディアン男性が訪れてきます。彼はペラペラと英語を喋りながら近づいてきました。

ピルグリムの当時の記録では、彼を「野人」と冷たく記しています。「大胆にもその男は一人で家と家のあいだをまっすぐに集合場所のところまでやってきた」ので、焦ったピルグリムたちは、「その地点で彼をとどめた」が、サモセットは気にもとめず、「英語で挨拶《あいさつ》し、われわれを歓迎した」そうです。

それから数日後、サモセットはこの地域に暮らすワンパノアグ族の族長マサソイトとスクォントという二人の男性を連れてプリマスに現われます。

スクォントは1614年にスペイン人に捕らえられ、ロンドンで見世物になっていたところ、ある篤志家《とくしか》の手で救われ、アメリカに送り届けられたのだそうです。「英語を喋る白人」に好感を抱いていた彼は、ほかの部族のインディアンにも、コミュニケーションツールとしての英語を教えていたのでした。

その後、このスクォントが、恩返しとばかりに生活の面倒を見てくれることになり、ピルグリムたちは北米における農耕や漁の仕方を学ぶことができたのです。それで、「やっと今年の冬は死人を出さずに越えられそうだ」と喜んだプリマスのピルグリムが、恩人であるインディアンを招いて開いたのが、1621年秋の「感謝祭」だったと、現代のわれわれは教えられています。

「ピルグリムがインディアンにご馳走」したワケではない？

しかし、当時の様子を描いた『モーツ・リレーション』という記録には、鳥を食料としてたくさん捕獲できたことや、娯楽として武器訓練を行なっていたら、90人ものインディアンを連れてワンパノアグ族の族長マサソイトがやってきた、といった記述だけがあります。

「3日間、われわれ（＝ピルグリム）は彼らを接待しご馳走した」とは書かれているのですが、白人たちがインディアンを宴に招待して感謝したという一番大事な情報が欠けているのです。さらに、その後の**「インディアンたちが鹿を5頭殺し」、追加の食材として持ってきてくれた**という記述は見逃せません。

つまり、インディアンは武器訓練の音を聞いて、プリマスで戦争が起きているのではと危惧し、様子を見に来てくれただけなのでしょう。そこで一部のピューリタンが、彼らに感謝を伝えようと言い出し、宴を開くことになったのではないでしょうか。

1621年の秋、プリマスには、使用人を入れても90人もいませんでした。前年冬に野菜が食べられず、壊血病で亡くなる人が続出して減ったからです。それにコミュニティの成員数以上にインディアンの客人が来たら、昨年ほど貧しくはないにせよ、食料に困ることは見えています。

そこで、気を利かせた「インディアンがピルグリムたちの乏しい宴に、鹿などの獲物を提供して華を添えてくれた」のではないでしょうか。決して、「ピルグリムがインディアンにご馳走した」わけではなさそうです。

ここまで世話をしてもらっていながら、「聖徒」に限らず、白人社会全体とインディアンとの関係は次第に、しかし、確実に冷却していきました。

1630年頃から、より多くのイギリス人たちがプリマス周辺にやってくるようになります。彼らは土地の個人所有という概念のなかったインディアンたちから、二束三文で広大な土地を買い取り、囲い込むことを繰り返しました。

生活を圧迫されてもなお、白人に友好的な態度を貫いた族長マサソイトが1660年に亡くなり、1662年に後を継いだ彼の次男メタコムは、父以来の白人友好路線を密かに廃止する決心をせざるをえなくなりました。

✦キング・フィリップ戦争――〝見せしめ〟として晒された族長の頭部

そんなメタコムと白人たちが武力衝突する事件が、ついに1675年に起きてしまいます。メタコムの英名フィリップにちなみ、「キング・フィリップ戦争」と呼ばれるこの戦いは徹頭徹尾、凄惨でした。

メタコムの亡き父・マサソイトの通訳を務めていたササモンというインディアン男性はキリスト教に改宗し、ハーバード大学内のインディアン・カレッジで学びましたが、その彼が白人たちに「族長メタコムが白人を攻撃するべく、戦争準備をしている」という虚報を流したとされています。

それゆえ、メタコムの部下たち3人はササモンを殺し、プリマスの池に遺体を放り込んだのですが、このあたりの詳細もよくわかっていません。しかし、結果として、彼ら3人は白人社会の陪審団の判決によって処刑されてしまい、それに怒ったメタコムはワンパノアグ族を率いて白人たちとの全面戦争に突入したのです。

当初はインディアンたちが優勢でしたが、1676年8月、メタコムが捕らえられ、殺害されました。見せしめとして、槍に突き刺されたメタコムの頭部は、プリマスの街の入り口に20年間にも渡って晒《さら》されたのです。

また、リーダーを失ったワンパノアグ族の大半は奴隷に落とされ、カリブ海に浮かぶ西インド諸島に売り飛ばされました。そして、当地で砂糖づくりという過酷な労働に従事させられることになったのです。

深刻なトラブルが起きたにせよ、ピルグリムたちの恩人族長マサソイトの息子と仲間にこの仕打ちとは、呆《あき》れはててしまいます。

現代アメリカでは、11月の第4木曜日に国中で祝われる「感謝祭」。インディアンたちが白人の入植に親身に協力したことは事実ですが、白人たちが恩人であるインディアンに感謝らしい感謝を示した記録がほとんどないとは、なんという皮肉でしょう。

毒殺魔が暗躍した時代の「監察医」に求められていたこと

19世紀は、毒殺魔が暗躍した時代でした。彼らからもっとも支持を集めていた薬物が**砒素**《ひそ》です。この当時、砒素は薬局だけでなく、街角の食料品店でも簡単に入手できました。

砒素を塗れば肌の色を白くできるというので、化粧水にも混ぜて販売されていましたし、ネズミやノミ、シラミ、ナンキンムシなど快適な生活を脅かす害獣、害虫の類の除去用としても、気軽に使われていたのです。

砒素は無味無臭であるがゆえに、飲食物に加えてもわかりづらく、離婚が容易ではなかったカトリック諸国では、大嫌いな亭主もしくは奥方の食事に混入されることがよくありました。

致死量に達するまで毒は体内に蓄積していくので、根気強く、毎日少しずつ飲ませれば、「食中毒やコレラといった病気で死んだ」と見せかけることも可能でした。フランスでは砒素に「相続の粉」という異名があり、金に困った放蕩児が、富裕な両親を体よく毒殺するために頻繁に使用されていたようです。

「ポイズン・ブック」の運用で毒殺薬としての砒素は過去の遺物に

1840年代になると、毒殺された被害者の細胞組織から砒素成分を検出する技術が開発されましたが、実際はきわめて困難な作業でした。すでに腐敗しつつある死者の胃や腸の一部、その内容物や嘔吐物を煮沸、冷却、ろ過、乾燥させ、そこから毒物と思われる結晶成分を取り出す必要があるからです。

足がつきやすい毒物になってもなお、砒素で誰かを殺したいという毒殺魔はなぜか後を絶たず、1851年、イギリスにおいてはついに砒素法が制定されています。毒殺とは一種のゲームのようなもので、一度成功すると、人の生命を自分の手で左右できる全能感が大きな刺激となって、同じ毒物を使った暗殺をもう一度、繰り返したくなるようですね。

しかし砒素法が施行された後は、薬物販売者に砒素をはじめとする毒物購入者の住所氏名、使用目的を「ポイズン・ブック」と呼ばれるノートに記すことが義務づけられるようになりました。すると不審死を遂げた犠牲者が出た場合、警察はこの「ポイズン・ブック」を手がかりに犯人を追いかけられるようになったのです。

こうして毒殺薬としての砒素が、「過去の遺物」になっていくにつれ、毒殺魔たちには次なる薬物を探し求める必要が生まれました。

◆人類史上トップクラスの猛毒ストリキニーネの抽出

19世紀に入ると、科学技術の発展もあって、植物からも新しい毒物が次々と抽出されるようになります。アヘンケシからモルヒネ、トリカブトからアコニチン、そして1819年には、インド原産の樹木、ストリキノス・ヌクス・ヴォミカの種子から、人類史上トップクラスの猛毒として名高い**ストリキニーネ**が抽出されたのです。

ストリキニーネは、殺鼠剤《さっそざい》をはじめ、害獣・害虫駆除の薬として用いられていましたが、人間一人を殺すのにも、わずか15グラムもあれば十分な猛毒です。これを盛られてしまった人は1時間程度、場合によってはわずか数分で息もできなくなり、全身を激しく痙攣《けいれん》させて死んでしまうのです。

この反応は、破傷風《はしょうふう》が引き起こす痙攣と似ていました。しかも、人体への残存量を検出できるまで、当時の技術では10年もかかる代物でしたから、毒殺魔たちがこの「新薬」に喜んで手を伸ばすのは当然のことでした。

19世紀におけるイギリスの毒殺魔には多くの男性が含まれました。そのうちの**200名が医者**だったという記録があります。「新薬」の知識があり、それらを職業柄、たやすく手に入れることができる医師という社会身分を活かして、彼らは毒殺に手を染めてしまったのですね。

「ギャンブル狂いの医師」が金欲しさに企てた毒殺

このストリキニーネを使った殺人に、最初の殺人罪が宣告されたのは、1850年代になってからのことでした。競馬が好きすぎて医師を辞め、プロ・ギャンブラーに転身していたウィリアム・パーマーのケースです。

パーマーは知り合いのクックという男が万馬券を当てたので、その賞金を奪うべく、まだあまり知られていなかったストリキニーネを使った毒殺を企てました。

パーマーは、レースに勝ったクックを祝うと見せかけ、少量のストリキニーネをブランデーやコーヒー、食べ物に混ぜて彼に与えましたが、クックはなかなか死にません。しびれを切らしたパーマーは、毒の錠剤をいくつか飲ませてみることにします。

しかし、さすがにこれは多すぎました。

ベッドに寝ていたクックの身体が突然、エビのように折れ曲がり、マットレスについているのは頭と足だけで、全身が弓ぞりにのけぞったまま、死亡してしまったのです。

あまりに激しい死の様子から、彼が毒殺されたことは明らかでした。

その後、パーマーが少量ながらストリキニーネを断続的に購入していたことが、「ポイズン・ブック」から明らかになりました。焦ったパーマーは、元医師である自分の経歴を犯罪隠蔽になんとか使おうと画策、クックの検死に強引に立ち合います。しかし、パーマーが**クックの胃の内容物を収めた瓶を勝手に触った**ことで容疑がさらに強まりました。

19世紀のイギリスでは、毒殺されたと思《おぼ》しい被害者が検死に回されると、その内臓もしくはその内容物だけが瓶詰めにされ、ロンドンにあった検体研究所に送られるのが常だったのです。

しかし、１８５６年、この事件の検査を担当したアルフレッド・スウェイン・テイラー博士は、パーマーの裁判において、「毒物の痕跡が確認できなかった」と述べるしかありませんでした。先述のとおり、ストリキニーネを検出するには、当時の技術では10年もかかったからです。

それでもテイラー博士は「クックの症状から見て、ストリキニーネが使われたことは間違いない」と断言し、陪審員たちはパーマーに死刑を宣告したのです。

なぜ何の科学的根拠もない、博士の証言を陪審員たちは信じられたのでしょうか。

テイラー博士は、**毒を舐《な》め、その味だけで種類を完全に判別できる異能で有名**だったのです。

19世紀末まで続けられた想像するだけで恐ろしい「毒の賞味検査」

ストリキニーネに含有される毒物は「アルカロイド」という化学物質です。毒にはそれぞれ固有の味があって、舌にチリチリ焼けつく痛みがあれば、それは毒殺に十分な量のアルカロイドだという判定を下せるのです。

テイラー博士だけでなく、当時の監察医は、おのれの身体を犠牲にして薬物の特定を試みました。**毒殺されたと思しき人の内臓から抽出した成分を、実際に自分の舌で舐め、味わっていた**のです。

想像するだけでも肌が粟立《あわだ》つような検査の数々ですが、時代が下り、19世紀末になっても、監察医がおのれの舌で被害者の遺体から検出された毒を舐め、味わい、最終的な判断を下す賞味検査は続けられていました。

この賞味検査が撤廃されたのは20世紀になってからのことです。

（了）

【参考文献】

『毛沢東の文革大虐殺　封印された現代中国の闇を検証』宋永毅編、『中世イングランドの日常生活　生活必需品から食事、医療、仕事、治安まで』トニ・マウント、『図説食人全書』マルタン・モネスティエ、『女帝そして母、マリア・テレジア』エリザベート・バダンテール、『メガネの歴史』ジェシカ・グラスコック（以上、原書房）／『フランス絶対王政の統治構造再考　マレショーセに見る治安、裁判、官僚制』正本忍（刀水書房）／『世界をおどらせた地図　欲望と蛮勇が生んだ冒険の物語』エドワード・ブルック＝ヒッチング（日経ナショナルジオグラフィック）／『ヴィクトリア女王　上』スタンリー・ワイントラウブ（中央公論社）／『図説　クリスマス百科事典』ジェリー・ボウラー（柊風舎）／『澁澤龍彦全集6　快楽主義の哲学　エロスの解剖　秘密結社の手帳　補遺1965年』澁澤龍彦、『不潔都市ロンドン　ヴィクトリア朝の都市浄化大作戦』リー・ジャクソン、『図説ヴィクトリア朝百貨事典』谷田博幸（以上、河出書房新社）／『歴史を変えた6つの飲物』トム・スタンデージ（楽工社）／『暗殺者アピス　第一次世界大戦をおこした男』デイヴィッド・マッケンジー（平凡社）／『ピルグリム・ファーザーズという神話　作られた「アメリカ建国」』大西直樹、『世界史を変えた薬』佐藤健太郎、『第一次世界大戦　忘れられた戦争』山上正太郎、『病が語る日本史』酒井シヅ（以上、講談社）／『ショパン　プリンス・オブ・ザ・ロマンティックス』アダム・ザモイスキ、『新版　ショパンとサンド　愛の軌跡』『ショパン　失意と孤独の最晩年』小沼ますみ（以上、音楽之友社）／『ハリラール・ガンディー　マハトマ・ガンディーの長男　私家版』牧野財士／『アメリカ労働民衆の歴史　働く人びとの物語』野村達朗（ミネルヴァ書房）／『歴史を変えた10の薬』トーマス・ヘイガー（すばる舎）／『愚行の世界史〈上〉トロイアからベトナムまで』バーバラ・W・タックマン、『実録アヘン戦争』陳舜臣（以上、中央公論新社）／『中世の裏社会　その虚像と実像』アンドルー・マッコール（人文書院）／『世界情死大全「愛」と「死」と「エロス」の美学』桐生操、『帳簿の世界史』ジェイコブ・ソール（以上、文藝春秋）／『ケレンスキー回顧録』アレクサンドル・ケレンスキー（恒文社）／『ロマノフ王家の終焉　ロシア最後の皇帝ニコライ二世とアナスタシア皇女をめぐる物語』ロバート・K・マッシー（鳥影社）／『狂気とバブル　なぜ人は集団になると愚行に走るのか』チャールズ・マッケイ、『チンギス・ハンとモンゴル帝国の歩み　ユーラシア大陸の革新』ジャック・ウェザーフォード（以上、パンローリング）／『排出する都市パリ　泥・ごみ・汚臭と疫病の時代』アルフレッド・フランクラン（悠書館）／『作家たちのフランス革命』三浦信孝編著（白水社）／『ユイスマンスとオカルティズム』大野英士（新評論）／『ユイスマンス伝』ロバート・バルディック（学習研究社）／『花と緑が語るハプスブルク家の意外な歴史』関田淳子（朝日新聞出版）／『華人の歴史』リン・パン（みすず書房）／『世界ノンフィクション全集44』「メデューズ号の筏」豊島與志雄（筑摩書房）／『大戦略論　戦争と外交のコモンセンス』ジョン・ルイス・ギャディス（早川書房）／『ヴィクトリア朝の毒殺魔　殺人医師対スコットランドヤード』ディーン・ジョーブ（亜紀書房）／『ルイ16世　ガリマール新評伝シリーズ世界の傑物3』ベルナール・ヴァンサン（祥伝社）／『王様も文豪もみな苦しんだ性病の世界史』ビルギット・アダム（草思社）／『征服と遠征　古代文明の謎と発見10』「ヴァイキングの跳梁　ヨーロッパを席巻した海の勇者」朝倉文市（毎日新聞社）
外国語の参考文献についてはスペースの都合で省略しました。

本書は、本文庫のために書き下ろされたものです。

隠《かく》されていた不都合《ふつごう》な世界史《せかいし》

著者　堀江宏樹（ほりえ・ひろき）
発行者　押鐘太陽
発行所　株式会社三笠書房
〒102-0072 東京都千代田区飯田橋3-3-1
電話　03-5226-5734（営業部）03-5226-5731（編集部）
https://www.mikasashobo.co.jp
印刷　誠宏印刷
製本　ナショナル製本

 ISBN978-4-8379-3071-6 C0130

王様文庫